アフリカ
人類の未来を握る大陸

一郎
Beppu Shoichiro

a pilot of wisdom

はじめに　アフリカを歩く

新しい現実

「これが、人口爆発ということか」

人、人、人。どこを見ても人がいる。人混みにもまれ、暑さと湿度、汗のにおい、物売りのかけ声と車のクラクションの音で頭がもうろうとしてきた。自分が、世界の人口爆発の現場に立っていることをまざまざと実感した。

アフリカで最大の人口を抱えるナイジェリア、その中でも最も人口の多い最大都市ラゴスの中心部でのことだ。あちらこちらで人にぶつかり、うかうかしていれば車にひかれそうになり、通りを埋め尽くす人の多さに圧倒される。どこまでも続く人波を見ていると、まるで世界を変える大きなエネルギーが渦巻いているかのようだった。

アフリカの人口は文字通り、爆発的に増えている。

国連の統計では、アフリカ大陸の人口は、1990年には6億人あまりだったが、今ではその2倍以上の13億人あまりになっている。そして、今後も増え続け、2050年までには、さらにほぼ倍増して25億人近くになると予測されている。その時、世界全体の人口は100億人近くになると予測されているので、地球上の人間の実に4人に1人がアフリカの人になると見られているのだ。

ナイジェリアは、すでに2億人を超えているが2050年には4億人を超え、エチオピアも今の1億人あまりから2億人を超えると予測されている。急増する人口の背景にあるのが高い出生率で、サハラ砂漠以南のアフリカの国々では合計特殊出生率の平均が4・7となっている。中には、ニジェールのように7・0と世界一高い国もある。

それにしても、2050年といえばわずか30年後のことだ。中年期以降の人ならば、これまで生きてきた年月をふり返れば、30年なんていかにあっという間に過ぎる時間であるかは実感できるだろう。その時、アフリカの人たちが大勢いる地球はどのような姿になり、我々はどのような世界の景色を目にすることになるのだろうか。政治でも経済でもアフリ

世界とアフリカの人口推計

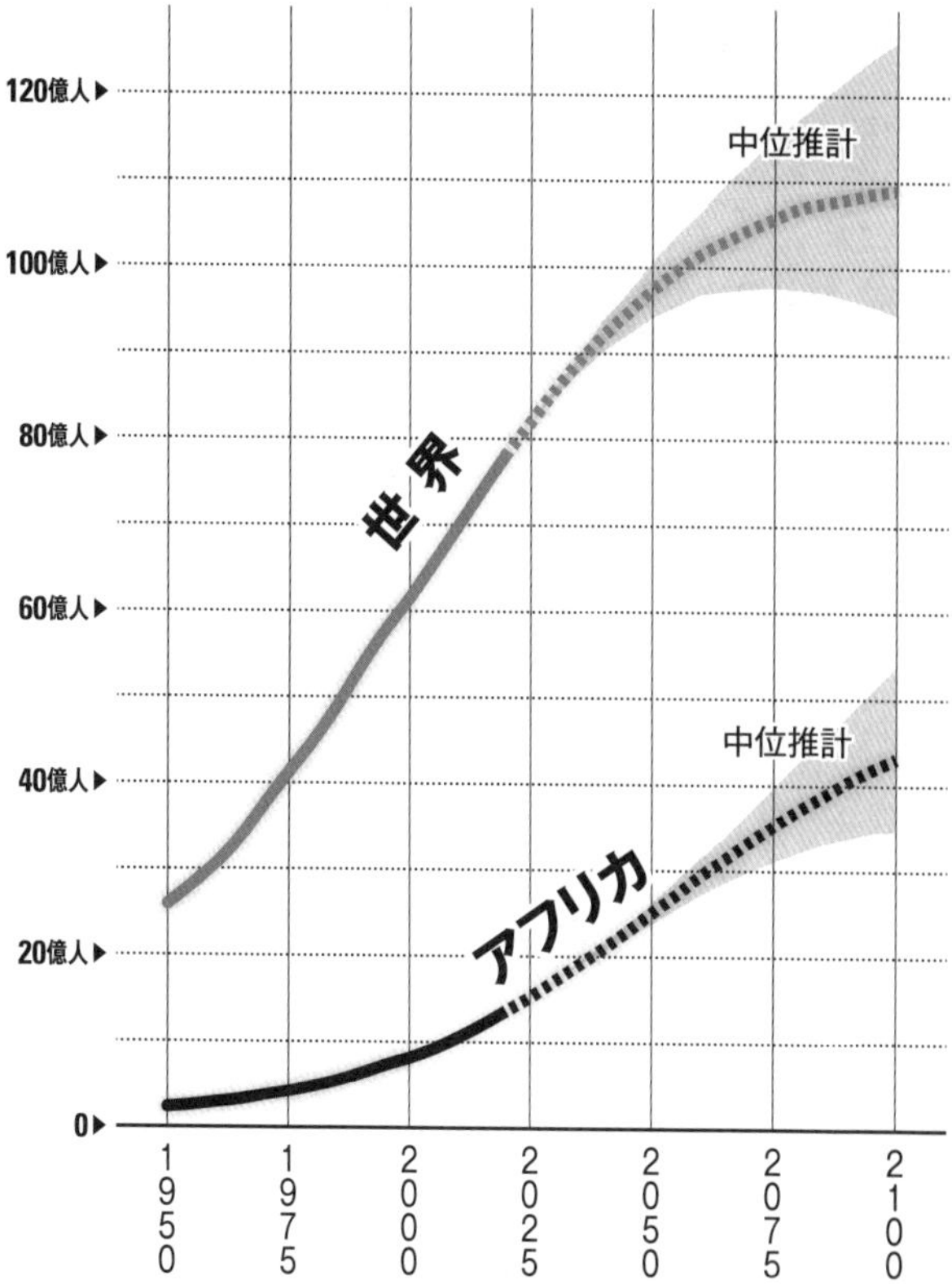

アフリカの人口は増え続け、2050年には世界人口の４人に１人がアフリカの人になると予測されている。(2019年の国連統計より)

カが大きな存在感を持つ世界で、今の日本の若者たちは、どのようにビジネスをして生き抜いていくことになるのだろうか。

はっきりしているのは、これまでとは違う「新しい現実」が、我々の前に現れようとしているということだ。

地球最後の巨大市場

その急増する人口は若い。

国連によると、アフリカの人口の平均年齢は19・7歳だ。日本は同じ統計で48・4歳である。こうした若者たちは消費意欲も旺盛だ。家電もスマートフォンも飛ぶように売れている。若者人口の増加が経済成長を押し上げている国も少なくなく、世界銀行のデータでは、2019年のGDP（国内総生産）の伸び率は、ルワンダで9・4％、エチオピアで8・3％、ガーナでは6・5％と非常に高い。

もともとアフリカは天然資源の宝庫だ。国連によると、アフリカ大陸には世界の金の40％が、プラチナの90％がある。ダイヤモンドやコバルトの埋蔵量も世界で最も多く、まさに「宝の山」だ。しかし、こうした資源頼みではない、若者人口の急増に押されて、いわゆる「人口ボーナス」の恩恵を受けた形での経済成長が起きているのだ。

それにつれて、アフリカの街並みは急速に変わっている。各地で建設ラッシュが起きていて高層ビルの工事がいたるところで見られる。エチオピアの首都アディスアベバを10年以上経て訪ねた時、そのあまりの変化に違う街に来たかと思ったほどだ。主要道路の両側には高層ビルがびっしりと建ち並んでいる。街のいたるところで建設工事が行われていて、取材先のオフィスでも、取材を終えてホテルの部屋に戻っても、工事の音は早朝から夜遅くまで止《や》むことなく続いている。ビルに加えて、港や道路などのインフラ建設も続々と進んでいる。しかも、その需要は今後も大きく伸びることが確実だ。

こうしたアフリカを世界のほかの国が放っておくわけがない。

アフリカは「地球最後の巨大市場」だとして、そこを目がけて、熾烈《しれつ》な進出競争が起きている。

2018年1月、アメリカのドナルド・トランプ大統領がアフリカを侮辱する発言をしたと報じられ、アメリカへの無理解と無関心が表面化したが、依然として、アメリカはアフリカにとって重要な貿易相手国だ。イギリスやフランスといった植民地時代の宗主国は、言語や文化を通した影響力を維持している。その上で、イギリスはアフリカへの投資を増やすとしているし、フランスはイスラム過激派への軍事作戦のため部隊を派遣するなどアフリカ重視の姿勢にぶれはない。

そこに国を挙げて押し寄せているのが中国だ。巨額の融資とインフラ整備で存在感を見せつけ、中国人も続々とやってきている。南アフリカやアンゴラにはそれぞれ20万人以上が暮らし、大陸全体で100万人を超えたといわれている。さらに、トルコやインドもアフリカ諸国での大使館の設置を増やしていて、存在感を高めようとしている。

こうした中、日本は、政府が主導してTICAD（アフリカ開発会議）を開催し、日本企業によるアフリカ投資を増やそうとしている。ただ、出遅れも指摘されている。滞在する日本人の数は中国の100万人に遠くおよばず1万人にも満たない。現場では日本の企業駐在員や援助関係者が汗を流しているが、そうした努力をどうバックアップするのかが課題になっている。

気候変動、格差、砂漠化、テロ……問題が続々と「これからはアフリカの時代になる」と話す人もいる。

確かに魅力的な若者たちが活躍する、希望にあふれた大陸であることは間違いない。南アフリカのヨハネスブルクやケニアのナイロビのような大都会では、最新のスマートフォンを手に、おしゃれをした若者が颯爽《さっそう》と歩いている。植民地主義の名残ではあるが、それはそれとして、英語やフランス語といった公用語を自由に操り、軽々と世界とつながっている若者も多い。

2019年秋、日本をはじめ世界中のファンを沸かせたラグビーのワールドカップ大会で優勝した南アフリカチームに注目が集まったが、黒人で初めてのキャプテンとなったシヤ・コリシ選手は、さまざまな人種やバックグラウンドを持つチームをまとめ上げ、活気と変化に満ちたアフリカの姿を印象づけた。

しかし、先行きは決して明るいだけではない。

経済成長が続く一方で貧富の格差も広がっている。特に南アフリカは深刻で、ヨーロッパの植民地支配と人種差別の体制を乗り越えたものの、人種間の経済格差は根強く残っている。

また、アフリカは、地球の気候変動をもたらす温室効果ガスの排出量が世界で最も少ないにもかかわらず、その悪影響が最も激しく現れている。サハラ砂漠南側のサヘル地域の国々では、拡大する砂漠と頻発する干ばつで食糧生産が打撃を受け、多くの人が飢えと渇きに直面する中、IS（イスラミックステート）のようなイスラム過激派組織が台頭し、テロと暴力の新たな主戦場にもなっている。

さらに、多くの国で紛争も続いている。豊富な天然資源を誇るアフリカだが、コンゴ民主共和国やカメルーンではその利権争いを背景にした武力衝突に歯止めがかかっていない。

人類の命運を握る大陸

しかし、アフリカ自身にとってはもちろんだが、世界にとっても、もちろん日本にとっても、このような問題が続くアフリカのままであってはならない。

もとより、そうした問題は、気候変動をとってみても、我々日本のような先進国の人間によって深刻化し、アフリカの人々がそのつけを払っている面もある。それだからこそ、貧困や飢餓、それに環境破壊やテロなどはたんなる一大陸の問題だと先進国の人間が決め込み、時折思い出したかのように興味を向けるだけでは済まないはずだ。しかも、今や、アフリカの人が世界人口の4分の1を占める新たな現実が現れようとしている。それを前に、アフリカの課題は、国際社会が力をあわせてともに解決策を探るべき人類共通の課題だということがますます鮮明になっている。

いってみれば、アフリカは、我々人類のあり方を問うている。

資本主義のグローバルな展開は世界を覆い尽くし、ヨーロッパからアメリカに移った成長の勢いはアジアに移り、今、アフリカにもおよび始めている。アフリカは、世界の資本主義システムのいわば最終ランナーであり、そこが希望の大陸になるのか、それとも絶望の大陸になるのかは、人類のこれまでの発展の努力が成功だったのか、あるいは失敗だったのかを見極める場にもなるだろう。

その舞台は巨大だ。アフリカ大陸の面積は日本のおよそ80倍で、世界の大陸のおよそ5分の1を占める。ほぼ真ん中を赤道が通り、54の国が集まっている。「アフリカ」と一括《ひとくく》りにするのがはばかられるほど多様で豊かな文化があり、多くの人の個性的な生き様がある。人類が臨むことになるいわば最終試験の合否は、この大陸とその人々、そしてそこに日本を含めた国際社会がどのように関与していくかにかかっているともいえる。

世界は、そして人類は、どちらに向かうのか。我々にはどのような新しい現実が待ち受けているのか。地球の未来の姿を探し求めて、アフリカの現場を歩き始めた。

目次

図版作成／海野　智
章扉・図版レイアウト／MOTHER

第1章　「虹の国」のワンチーム

初めての黒人キャプテン

２０１９年の秋、日本をはじめ、世界中のファンを沸かせたラグビーのワールドカップ大会。「こんなに面白いスポーツだったのか」と初めてラグビーの魅力にはまった「にわかファン」も誕生し、「ワンチーム」や「笑わない男」などの流行語も生まれた。日本のナショナルチームは快進撃を続けて、初めて決勝トーナメントに進んだが、そこで桜の戦士たちを待ち構えていたのが強豪、南アフリカのナショナルチーム「スプリングボックス」だった。

スプリングボックは鹿に似た野生動物で、南アフリカチームの緑のラグビージャージにシンボルとして跳ね上がる様子が描かれている。２０１５年の大会で日本は南アフリカに勝利し「ブライトンの奇跡」を引き起こしたが、その因縁の相手は、今回は日本を下した。その後も屈強なフィジカルを前面に出して勝ち続け、決勝戦ではイングランドを押さえて世界ナンバーワンになった。そのチームの中でとりわけ注目を集めたのが、優勝トロフィーを高く掲げたある黒人選手だった。伝統ある「スプリングボックス」の歴史の中で黒人として初めてキャプテンを務めたシヤ・コリシ選手だ。フランカーを務め、この時28歳だった。

それにしても、南アフリカはアフリカの国なのだからキャプテンが黒人であることはなんら不思議なことでない。むしろ、「アフリカのチームなのに、どうしてあんなに白人の選手だらけなのか」という素朴な疑問を抱く人もいたと聞いた。

南アフリカのラグビーナショナルチーム「スプリングボックス」のキャプテンのシヤ・コリシ選手。（写真提供：共同通信社／ユニフォトプレス）

チームにいる黒人の選手はコリシ選手を含めて少数派だ。南アフリカの人種構成では、国民のおよそ80％が黒人で、白人はおよそ8％を占めるに過ぎないから、ナショナルチームの選手の人種構成がアンバランスであることは確かだ。しかし、当たり前のことだが、これはなにも白人の方が黒人よりもラグビーが上手だからではない。

実は、南アフリカでは、ラグビーは長年、「白人のスポーツ」と見なされてきた。その名残で、今も黒人の間ではラグビーに対する興味が白人ほどはない。世界ナンバーワンになるだけの実力があるのだから、さぞかしラグビーは国民的人気があるスポーツだろうと想像されるだろうが、そうではないのだ。

アパルトヘイトの呪い

背景には、南アフリカが辿《たど》った歴史がある。

今から400年近く前の1652年に入植したオランダ人によって、アフリカ大陸のほぼ最南端にケープタウンが建設され、アジア諸国と交易していたオランダ人のための水や食糧を補給する港町となった。その後も、オランダ人たちはアフリカの地元の人々から土地を奪い、植民地を拡大させた。そうしたオランダ人の末裔《まつえい》たちは、オランダ語から派生したアフリカーンス語を話すアフリカーナーとなり、そこに暮らしていた黒人を支配した。

しかし、豊かな資源に恵まれたこの地を、帝国主義の権化であるイギリスが欲しがらないはずはなかった。19世紀に入るとケープタウンを奪ったのに続き、ダイヤモンドと金が発見されるとさらに欲望をむき出しにし、アフリカーナーたちと戦争をして植民地を併合、1910年にイギリスの自治領として南アフリカ連邦を発足させた。

こうした歴史もあって、今でもアフリカーナーの間で、イギリスに対する複雑な感情があるといわれている。ラグビーのワールドカップ日本大会の決勝戦は南アフリカとイングランドの間で行われ、南アフリカが勝利したが、多くのアフリカーナーたちにとって胸のすく思いだったようだ。決勝戦のあと、あるアフリカーナーの男性は、「正直、南アフリカは日本に負けても構わないと思っていた。日本はすばらしいチームだった。いや、ほかのどの国にだって負けてもいい。だけど、イングランドにだけは負けてはならなかった」と話しかけてきた。

しかし、南アフリカ国内では、アフリカーナーもイギリス人もともに白人の支配層として君臨していた。彼らが奪い合いをした土地にしても、ダイヤモンドや金にしても、そもそもはアフリカの人たちのものだ。そうした中で作り出されたのが人種隔離政策のアパルトヘイトだ。

「アパルトヘイト」とは、アフリカーンス語で「分離」を意味し、文字通り、政治、経済、社会のあらゆる場面で黒人を差別して排除した。黒人はタウンシップと呼ばれた居住区に押し込められ、参政権は認められず、教育や医療を受ける機会も制限された。アメリカで1960年代まで南部を中心に続いた黒人差別と同じように、公共の乗り物や公衆トイレ、それに水飲み場までもが、「白人用」と「それ以外の人種用」に分けられた。黒人の解放運動に参加すれば容赦なく逮捕され、数多くの活動家が刑務所で白人警官の拷問によって殺された。本人の人間性や能力とは全く無関係に、あらゆることが肌の色で規定されるという愚かな人種差別が堂々とまかり通ったのである。

非道な政策は、地元の黒人たちはもちろん、ほかのアフリカの国々、さらには国際世論からも非難され続けた。しかし、白人政権は頑《かたく》なで、1961年には英連邦を脱退した。こうした中で、経済制裁を科され、国際的に孤立した白人政権が政治利用したのがラグビーだった。当時の「スプリングボックス」は白人選手だけのチームだった。国際試合で勝利するたびに、白人政権はアパルトヘイト体制の強さと正しさの証《あかし》であるかのように喧伝《けんでん》した。それだけに、黒人たちは国際試合ではむしろ、「スプリングボックス」が負けることを願い、内心では相手国のチームを応援したものだった。

マンデラ氏の掲げた「虹の国」

しかし、東西冷戦の崩壊で状況は変わった。白人政権は、ネルソン・マンデラ氏が率いていた黒人解放組織のＡＮＣ（アフリカ民族会議）を共産勢力の手先と決めつけていたが、もはやそんな理屈すら通用しなくなった。１９９０年、マンデラ氏は27年間におよぶ獄中生活を終えて、ようやく釈放された。

27年に及んだ獄中生活を終えて、初めて全ての人種が参加した民主的な選挙を経て大統領に選出されたネルソン・マンデラ氏。（写真提供：ユニフォトプレス）

１９９４年にすべての人種が参加する初めての民主的な

選挙が行われ、政党になったＡＮＣが圧勝し、マンデラ氏が新生南アフリカの初代大統領に選出された。オランダ人が今のケープタウンに入植して以降およそ３５０年を経て、黒人が初めて自分たちの土地の政治的な主役になった世界史的な瞬間だった。

白人政権の関係者や支持者、とりわけＡＮＣの解放運動に対する弾圧の先頭に立ってきた治安関係者は動揺した。人口比で圧倒的に多数派の黒人による報復が始まると恐れたからだ。しかし、マンデラ氏が唱えたのは報復ではなく赦《ゆる》しだった。１９９４年5月10日、選挙の翌月に行われた大統領就任式では、マンデラ氏は「傷を癒やす時が来た。我々を分断する溝に橋をかける時が来た」と述べた上で、「黒人も白人も、すべての国民の尊厳が守られる『虹の国』を打ち立てよう」と呼びかけた。憎しみではなく和解に基づいて新たな国作りを進めると宣言したのだった。

和解のシンボルとなった「スプリングボックス」

しかし、憎しみを払拭するのは簡単ではなかった。

アパルトヘイトによる差別と弾圧に苦しんできた多数派の黒人たちが勝ち取った自由と

政治的な平等で希望にあふれていた一方で、特権を失ったことを恨み、人種差別意識に凝り固まったままの白人たちも少なくなかった。白人をどのように新たな国作りに積極的に参加させるかが、マンデラ氏の課題だった。

民主的な選挙の翌年の１９９５年、国際的な孤立を抜け出した新生南アフリカで初めてとなる本格的なスポーツイベントとしてラグビーのワールドカップ大会が開催された。この時、初めて黒人の選手ひとりがチームに参加した。決して前評判のよくなかったチームだったが勝ち進み、決勝戦では強豪ニュージーランドの「オールブラックス」との激闘を制して初めて世界ナンバーワンになった。

決勝戦の会場に現れたマンデラ氏が着用していた服を見て人々は息をのんだ。あのアパルトヘイトの象徴でもあった「スプリングボックス」の緑のジャージを着ていたのだった。そして、そのジャージ姿で、ホスト国の大統領として「スプリングボックス」の白人キャプテンに優勝トロフィーを渡した。この行動は人種を超えて国民全体に感動を与え、優勝の喜びも加わって、和解の気運を高めた。

実は、この大会で「スプリングボックス」が掲げていたチームのスローガンこそが「ワ

1995年に南アフリカで開かれたラグビーのワールドカップ大会の決勝戦で、「スプリングボックス」の緑のジャージを身につけて会場に現れたマンデラ氏。（写真提供：ユニフォトプレス）

ンチーム、ワンカントリー（ひとつのチーム、ひとつの国）」だった。2019年の日本大会で桜の戦士たちも「ワンチーム」を掲げ、さまざまなバックグラウンドを持つ選手たちが協力して力を発揮したが、24年前、それは南アフリカでは分断された国をひとつにすることを目指したスローガンだったのだ。「ワンチーム」の元祖は南アフリカだったといえる。

解消しない人種問題

しかし、新生南アフリカでも人種間の格差はなかなか解消していかない。

南アフリカの人種構成比率

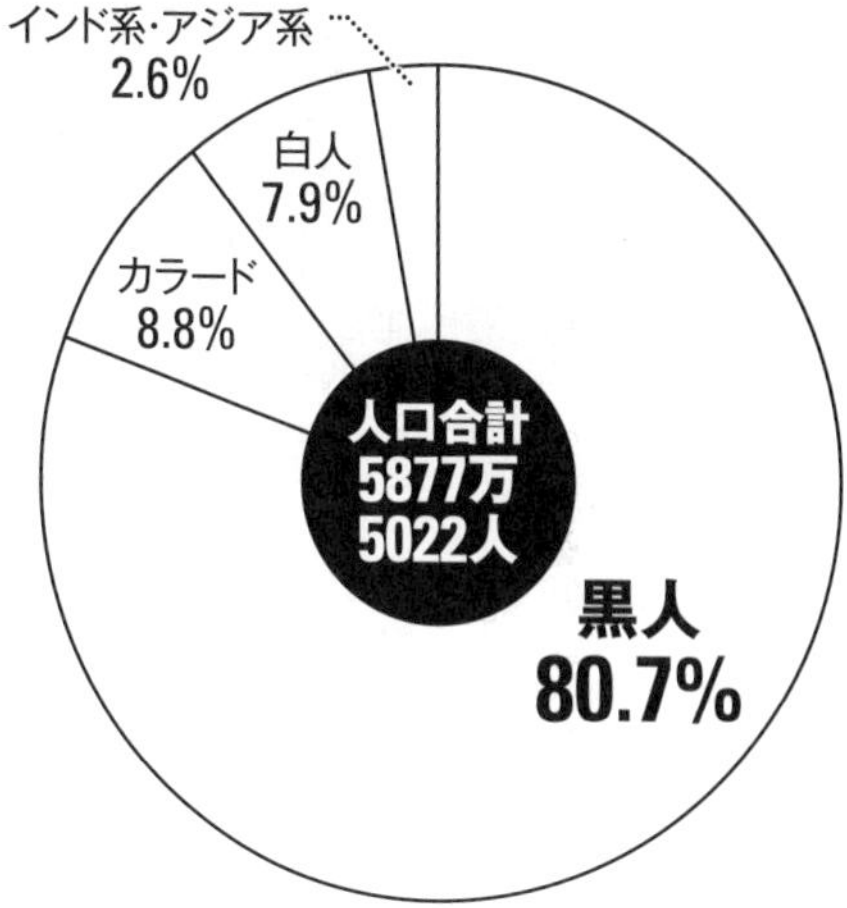

（2019年の南アフリカ政府統計より）

地元メディアでもしばしば指摘されているのが、経済的には、主に白人が占める10％の富裕層が、およそ70％の富を独占したままだということだ。また、失業率にしても、2017年では黒人は30％を超えていたが、白人は7％以下と大きな開きがある。さらに平均収入で比べても、白人は黒人のおよそ4・5倍もあるという。

アメリカでは、教育や雇用の場での格差を積極的に是正するために、マイノリティーの黒人などがアファーマティブアクション（積極的格差是正措置）の対象となっているが、南アフリカでは、人口のおよそ80％を占める多数派の黒人が優遇措置の対象になっている。タウンシップも、アパルトヘイトの撤廃以降は、法的に黒人が強制的に暮らす居住区ではなくなったが、今でも、経済的に貧しい黒人が密集して暮らす地区であることに変わりはない。

南アフリカの人々は実にフレンドリーでオープンだ。それでも、生活しているとさまざまな場面で人種問題を意識させられることもある。私が勤務するＮＨＫのヨハネスブルク支局でも、黒人の男性スタッフが取材先にインタビューの申し込みをする時、名前から相手が白人だと分かると、私が電話をかけた方がよいと頼んでくることがある。「英語のアクセントから自分が黒人だと分かるから、相手にされない恐れがある」と言うのだ。そのたびに、私は、「何もためらわずに、堂々と電話をかけよ」と指示することになる。

一方で、ケープタウンの大学で教える黒人女性の講師は、黒人の間でも差別意識があると批判する。「黒人のしかも女性となればとにかく低く見られがちだ。お店に入っても店員から無視される。ただ、手元に自動車のキーを持っていると、それを見て貧しい黒人女性でないと判断するためだろうが、急に愛想がよくなる。しかも、同じ黒人の店員にこういう扱いを受けることからいっそう悲しくなる」と憤りながら話していた。黒人による人種差別はアジア系にも向けられることがあり、私も町中で突然「チャイナ」と叫ばれ、嘲笑されるという不愉快な目に遭うことがしばしばある。

その一方で、特に高齢の白人の間で、こちらが日本人だと分かると急に態度がよくなる人もいる。アパルトヘイト時代、日本は国際的な批判を受けながらも、一時期、南アフリカの最大の貿易相手国だった。日本人ビジネスマンを受け入れて商談を進めるためにも、白人政権はわざわざ「名誉白人」というカテゴリーを作り、日本人駐在員に白人と同じ住宅街に暮らすことなどを認めた。「我々は昔から日本人には敬意を払ってきた」と言われた時、そうした歴史もあるだけにどう応じていいのか考えあぐねて黙り込んでしまうこともある。

あらゆることが肌の色で規定されたアパルトヘイトが撤廃されておよそ30年になるが、人種差別への闘いには終わりがないことを痛感する。

タウンシップで育ったキャプテン

「スプリングボックス」で黒人として初めてキャプテンとなったシヤ・コリシ選手も、こうした問題を嫌というほど知っている。

出身地は南部のポートエリザベスの中心部から離れた荒れ地に広がるタウンシップだ。2019年11月、取材に訪れた日はどんよりとした曇り空で、強い風が密集した住宅のトタン屋根を揺らしていた。整備されていない道路を迷子になりながら、事前に約束していたコリシ選手の叔父のブキレ・コリシさん（47歳。年齢はいずれも当時）と落ち合い、コリシ選手が育った家を案内してもらった。そこは台所のほかは部屋がふたつある平屋建ての簡素な家だった。

シヤ・コリシさんは、両親がまだ10代だった頃に生まれたが、父親はケープタウンに出稼ぎに行ったため母親によって育てられた。しかし、母親はシヤさんが10代の時に亡くなり、祖母に育てられた。祖母は白人の家庭でメイドをしていたが経済的に厳しい境遇で、毎日の食事にも事欠いたという。

ブキレさんは、インタビューで、「シヤの祖母、つまり私の母親は、しばしば、近所の知り合いに食べ物を分けてくれるよう頼んでいた。それでも、何もなく、水に砂糖を混ぜて飲んで過ごしたこともある」と話した。狭い家の中では、シヤさんはほかの親戚の子どもたちと一緒に毎晩、床で雑魚寝していたという。

シヤさんは、子どもの時から真面目な少年だった。タウンシップの暗い現実として薬物に手を出す若者もいるのだが、シヤさんは一切関わらず、スポーツに励んでいたという。その素質を見抜いたのが、小学生だったシヤさんに最初にラグビーの指導をした元教師のエリク・ソングウィキさんだった。

タウンシップの別の場所に暮らすソングウィキさんを自宅に訪ねると、元ラガーマンだっただけにがっちりした男性だった。棚からいくつかの写真を出して見せてくれたが、中には、シヤさんが12歳か13歳の時の2004年に撮影されたという写真もあった。どの少年がシヤさんかすぐには分からなかった。「この子だよ」とソングウィキさんが指した少年は、今の姿からは想像できないほど小柄で細身だった。

「シヤは物静かな少年で、真面目で整理整頓もできるような子どもだった。ただ、闘志はあり、練習でも試合でも集中力を発揮した。１００％の力を注ぐことができる子どもだった」とふり返った。リーダーシップもあり、なかなか上達しない仲間がいて、コーチの手が回らない時は、率先して教えることもあったという。

ソングウィキさんは、ワールドカップ大会の間も、日本でプレイしていたシヤさんと連絡を取り合っていた。

「日本で温かく迎えられていたことは知っていた。それだけに試合に専念するように伝えた。プレイについて南アフリカのメディアでいろいろ言う人はいても、そんな雑音は気にせずに、落ち着いて集中するように伝えた」

教え子が世界ナンバーワンのチームを率いたことを誇りに思っている気持ちがあふれていた。「タウンシップの子どもたちの多くは、『どうせ自分たちなんて』と思っている。シヤの活躍で、若者たちはやる気を持つことができる。そして、社会が変わり、国が変わってほしい。みんなが力をあわせる、本当の『虹の国』にならなければならない」と話した。「虹の国」という言葉には特に力を込めた。

多様性の力を

日本で優勝を決めてから帰国した「スプリングボックス」の選手たちは国内各地で凱旋《がいせん》パレードを行い、シヤ・コリシ選手の出身地のポートエリザベスにもやってきた。コリシ選手はチームメートとともに、2階建てのバスに乗り込み、市の中心部を出発し、数時間にわたり巡回しながら、各地で市民から熱狂的な歓声を受けた。特に生まれ育ったタウンシップにバスが入ると、何千人、何万人という住民たちが路上に出てきて、タウンシップ出身のキャプテンに大歓声を送った。どの人もはじけるような笑顔だった。コリシ選手は、何回もバスの屋根に上り、トロフィーを掲げてはその熱狂に応えた。

それに先立つ記者会見で、コリシ選手は、故郷に戻ったことへの感想を聞かれ、「自分と同じ境遇で育っても、努力を続ければ勝利を手に入れることができることをみんなに伝えたい」と話した。この場合の「みんな」とは、タウンシップに暮らす若者たちを指していることは明らかだ。その上で、「チームが特別なものになったのは、我々が力をあわせて、それぞれの違いを乗り越えたからだ」と話して、人種の融和と多様性がいかに力を発揮するかを強調した。

記者会見のあと、本人と雑談をして、私から取材でタウンシップの生家を訪ね叔父のブキレさんにお世話になったお礼を伝えると、はにかんで笑った。ぼそぼそと話す、シャイな青年だ。しかし、アパルトヘイト撤廃後も人種問題がもたらすさまざまな課題を具体的な行動でひとつひとつ打ち破っているのが、こうしたコリシ選手のような若者たちだ。

ナショナルチームの緑のラグビージャージに描かれている跳ね上がるスプリングボック。未来に向けて突き進んでいくアフリカの若者たちのエネルギーを表すシンボルのようにも見える。

第2章　世界最悪の貧富の格差

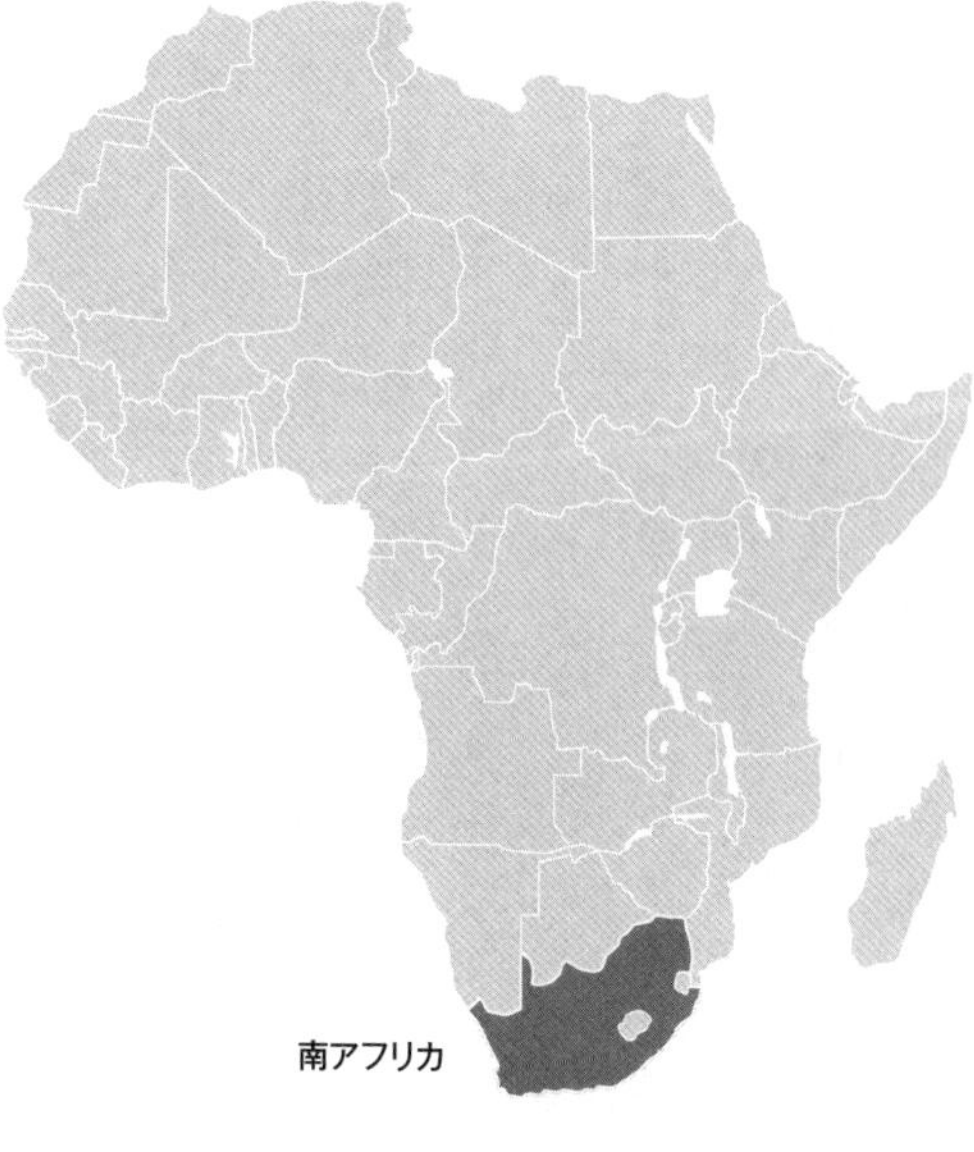

タウンシップと高層ビル群

気が滅入るとはこういうことなのだろう。

南アフリカの最大都市ヨハネスブルクで見る、ある風景のことだ。アレクサンドラ地区と呼ばれるタウンシップの高台に上ると、目の前には経済的に貧しい人々が暮らす狭くて簡素な家が密集しながら広がり続けている様子が見える。と同時に、その向こうにはいくつもの高層ビルがそびえ立っているのが見える。そこは高級マンションやオフィスビル、それに証券取引所などが集まるサントン地区の中心部で、アフリカで最も富が集中している場所といわれる。豊かさを享受する人たちが暮らす地区と、貧困に苦しむ人たちが暮らす地区が同時に視界に飛び込んでくる。これほど露骨に貧富の格差をむき出しにしたかのような風景はほかにあるだろうかと考えてしまう。

この地球上で南アフリカほど不平等な国はほかにないといわれている。南アフリカ政府が世界銀行とともに行った調査報告書では、2015年のジニ係数は0・63で、世界で最も高い。ジニ係数は、社会の不平等を測る尺度のひとつであり、完全に平等な社会では0

南アフリカの最大都市ヨハネスブルクにあるタウンシップの高台から見える風景。手前には貧困層が暮らす家が広がっている。その向こうはオフィスビルや高級マンションなどが集まる地区。（ＮＨＫ／2020年４月）

になり、完全に不平等な社会では1になる。世界銀行の統計で、日本は０・３あまり、アメリカでも０・４あまりだから、南アフリカの数値がいかに突出して高いかが分かる。しかも、報告書では、民主化を成し遂げた１９９４年以降、こうした格差は改善するどころか、むしろ悪化してしまっていると指摘している。

新生南アフリカは初代大統領となったマンデラ氏が報復を戒め、和解を前面に打ち出した国作りを進めた結果、当初は内戦の危機すら懸念されていたものの平和な民主主義国家として歩んできた。国際的な孤立を抜け出して、国外からの投資も増え、金やダイヤモンド、それにプラチナなどの豊かな地下鉱物資源の恩恵もあって経済は成長し、新たな黒人の中間層も誕生した。2010年にはサッカーのワールドカップ大会をアフリカ大陸で初めて成功裏に開催したほか、新興国グループの仲間入りを果たしてBRICS（ブラジル、ロシア、インド、中国、南アフリカの新興5か国）の一角を占めるようになった。

その一方で、すべての人の平等を目指す「虹の国」の理念は重大な挑戦を受けている。

貧困と犯罪

格差社会の現実は厳しい。

最もしわよせを受けているのは、国民の半数近くを占める貧困層だ。アパルトヘイト時代、黒人は強制的にタウンシップに住まわされ、白人社会と隔離された。民主化後は、誰もが好きな場所に自由に暮らす権利は勝ち取ったが、経済格差によって多くの人が各地のタウンシップに暮らし続けている。このうち最大のものが、ヨハネスブルク南西部のソウェト地区だ。

そこで暮らすエステー・ヒラチュワヨさんは、47歳。7人の子どもを育てているシングルマザーだ。10年前にエイズウイルスに感染し、末の3歳の娘も感染して親子で治療を続ける中、失業から抜け出せず、収入は児童手当だけが頼りだ。手続きもなかなか進んでおらず、4人分しかもらえないということで、その金額は月にあわせて1800ランド、日本円で1万2000円ほどだ。

冷蔵庫を見せてもらったが、タマネギがひとつある以外は空だった。長男は25歳だが、1年前に警備員の仕事を失ってからは失業中だという。南アフリカの失業率はおよそ30％だが、15歳から24歳の若年層にいたっては50％を超えている。ヒラチュワヨさんは、「生活にも、人生にも展望がない」と話した。

貧困に加えて、人々は、犯罪の被害に遭う恐れにも日々さらされている。2018年9月、政府閣僚のベキ・ツェレ警察相が議会に対して、南アフリカの犯罪統計を説明し、殺人事件によって死亡した人が1年で2万人を超えたことを明らかにした上で、「毎日平均して57人が殺されている計算だ。南アフリカでは戦争は起きておらず、平時にあるが、まるで戦場のような状況だ」と述べた。殺人に加えて、強盗や窃盗なども頻繁に起きている。しかも、こうした凶悪犯罪は、サントンのような高層ビルが建ち並ぶ地区ではなく、むしろタウンシップなどで頻繁に起きている。

もちろん富裕層といえども犯罪被害とは無縁ではない。高級住宅地では広大な敷地を持つ豪邸が並んでいて、タウンシップとはまるで別世界だが、それでもこれらの豪邸は強盗を警戒して電流フェンスで囲まれている。また、地元の人からは、こうした高級住宅街であっても車を運転する時は周囲への警戒を怠ってはならないと口を酸っぱくして言われる。信号待ちで停車している時などに、突然、車の窓ガラスを割られ、車内からカバンなどが奪われる、「スマッシュ・アンド・グラブ」と呼ばれる犯罪が起きているからだ。

こうした中で、女性への暴力が深刻な社会問題になっている。地元メディアによると、殺人事件によって30分間に1人の割合で成人男性が殺されているが、成人女性も3時間に1人の割合で殺されている。

2019年8月、ケープタウンで19歳の黒人女子学生が行方不明になり、数日後に、タウンシップで遺体が焼かれた状態で捨てられているのが発見されたという痛ましい事件が起きた。捜査の結果、女子学生は、白昼、郵便物を受け取りにいった町中の郵便局の中で42歳の郵便局員の黒人の男にレイプされ殺害されたことが分かった。

これをきっかけに、政府に対して性暴力への対応強化を求める抗議デモが数万人規模で相次いで行われた。運動の中心になった女性たちは、"Am I next?"というスローガンを掲げた。「次に被害に遭うのは自分か」と問いかける形で、性暴力がどこでも、誰にでも起こりうる問題だと訴え、スローガンはSNS上でも拡散された。

汚職に蝕《むしば》まれる国家

アパルトヘイトに対する解放闘争の歴史があるだけに、地元メディアは、こうした格差や犯罪の課題も積極的に取り上げて問題提起を続けている。中でも、ジャーナリストたちが力を入れて報道しているのが汚職問題で、その規模と影響の大きさから、国家を横領しているとまで表現され、英語で「ステート・キャプチャー(state capture)」と呼ばれる疑惑が相次いで明らかになっている。

その舞台のひとつとなってきたのが国営の電力会社だ。ヨハネスブルクから東に車で3時間ほど行くと、畑の中に工事中の大型の発電所が現れる。クシレ発電所は、完成すれば世界最大級の火力発電所になる計画だが、工事開始から10年以上経《た》っても完全に稼働するメドが立っていない。工期の遅れと工事費高騰の背景には汚職があると指摘されていて、2019年12月にも、建設工事の資金など日本円でおよそ50億円を横領した疑いで元幹部など4人が逮捕された。

国営電力会社をめぐっては、このほかにも、火力発電の燃料になる石炭について、政府と関係の深い業者から市場価格より高い値段で購入していた疑惑や、必要以上に多くの労働者を抱え込んでいるとの指摘もある。幹部から労働者までさまざまな立場の人たちが群がって、甘い汁を吸い続けていると批判されている。

国営電力会社の負債は日本円で3兆円にまでふくれ上がり、新規の発電所の建設はおろか既存設備の補修に回すための資金すら足りなくなっている。その結果、発電能力が従来の3分の2にまで低下し、各地で大規模な計画停電が頻発している。政府はこれまで何度も税金を投入して国営電力会社を救済してきた。国民の税金が国営企業を通して腐敗した人間たちの手に渡っていることになり、国家から金が横領されているような構図だ。

問題はほかの国営企業にもおよんでいて、国営の南アフリカ航空も会社更生法が適用されている。アパルトヘイト時代は「アフリカの翼」ともいわれ、アフリカで最も進んだ航空会社として知られてきた。しかし政府のコネで能力のない幹部が次々に送り込まれ、自らの報酬をつり上げているうちに経営が行き詰まり、このほぼ10年は赤字続きで、毎年のように税金で救済され続け、汚職と怠慢が税金で尻ぬぐいされてきた。

南アフリカの経済問題の専門家のマイク・シュスラー氏は、インタビューで、「トップが不正をすると、それを見た部下も加わり、さらにその部下までも含めて、誰もが分け前にあずかろうとする。南アフリカには世界的に見ても進んだ法制度があるが、それらをきちんと守らないうちに、不正は、ウイルスのように社会の隅々にまで蔓延《まんえん》してしまった」と指摘する。

左派ポピュリズム政党の台頭

国民の不満が高まらないはずがない。

それは、民主化後一貫して与党の座にあるANCへの批判につながっている。いくらアパルトヘイトとの闘いの先頭に立ってきたとはいえ、格差と犯罪、それに汚職にうんざりしている国民の間から「もう支持できない」と考える人が出てきている。

そうした不満の受け皿のひとつとなっているのが、「経済的解放の闘士」という政党で、英語名の"Economic Freedom Fighters"の頭文字をとってEFFと呼ばれている。ANCから除名されたメンバーが中心になって、2013年に結成された急進左翼的な主張を掲げる野党だ。ANCについて、「口先ばかりで、貧困層のことを顧みない腐敗した政党だ」と批判している。

南アフリカも、ほかのアフリカの国と同じように人口が増えていて、若者が多い。特にアパルトヘイト体制が崩壊した1994年以降に生まれた世代は、「ボーン・フリー」、つまり生まれた時から政治的に自由だった世代と呼ばれている。アパルトヘイトで苦しんだ世代に比べて、ANCはもちろん、マンデラ氏についても特別な恩義を感じることが少ない世代だといわれている。

EFFはこうした若者にアピールしようと、主要産業の国有化や、学費と医療費などの完全無償化、それに最低賃金の引き上げなどの要求を掲げている。EFFの地方学生団体の幹部のソンワビレ・ドワバさん（23歳）は、「黒人は政治的には自由になれたが、経済はいまだに少数の白人が牛耳っている」と話し、白人が富を独占していると批判した。

インタビューで、「マンデラ氏が掲げた、すべての人種が共存する『虹の国』はどうなるのか?」と聞くと、「そんなことは民主化の当初は白人に迎合する必要があったから言われていたに過ぎない。結局は口先だけの耳当たりのいいスローガンだっただけだ。今となっては、『虹の国』が何を意味しているのかも分からない。『虹の国』なんて存在しない」と吐き捨てるように言った。

土地問題

このEFFが最も声高に掲げている訴えが大きな物議をかもしている。

白人農家が所有する土地を強制的に収用して、黒人に無償で配るべきだというものだ。植民地支配とアパルトヘイトによって、黒人は土地を奪われた上に所有することが制限されていた名残で、今でもすべての農地の70%を人口比ではわずか8%の白人が所有したままだ。これが、いっこうに縮まらない白人と黒人の経済格差の元凶のひとつになっているとして、EFFのジュリアス・マレマ党首は支持者を集めた集会で、「我々は、ANCと異なり、土地の本来の所有者である黒人が土地を取り戻すために闘っている」と訴え、喝

急進左翼的な主張を掲げる野党ＥＦＦ（経済的解放の闘士）を率いるジュリアス・マレマ党首。（写真提供：ユニフォトプレス）

采を浴びている。

もちろんＡＮＣ政権も何もしてこなかったわけではない。アパルトヘイト撤廃後、土地を売ることに同意した白人の地主から買い取り、黒人に再分配する政策を進めてきた。ところが、土地を売りたい白人が少ない上、価格交渉が難航して実際にはほとんど進んでいないのが現状だ。ＥＦＦに押される形で、２０１８年７月になってＡＮＣ政権のラマポーザ大統領は、土地の分配を加速させるために憲法を改正して補償せずに収用できるようにする考えを示した。

しかし、土地を所有する白人の多くはこれに猛反発している。北部のリンポポ州で野生動物の管理をして生計を立てている白人の夫妻を訪ねた。夫のベルデュス・ヘンリコさんは、「もともとは、白人が地元の人から奪った土地かもしれない。しかし、それは昔のことだ。今の所有者は金を払って正当に買っている。土地が収用されたら生活が立ちゆかない」と訴えた。妻のエステル・ニベンヘイスさんは、「この土地を愛している。自分の人生を捧《ささ》げて大切にしている。何があっても出ていくわけにはいかない」と話し、涙ぐんだ。

2018年2月、夫妻は悲劇に見舞われた。農地の中の自宅が武装グループの襲撃を受け、ベルデュスさんは3発の銃弾を受け大けがを負い、エステルさんもけがをした。居間の窓ガラスには、ベルデュスさんの体を突き抜けた銃弾があたった痕が残っていた。ベルデュスさんは、犯行の背後には人種的な憎悪があったのは間違いないと言う。「自分を撃ったのは黒人の男で、『この白人野郎、殺してやる』と叫んでいた」と話していた。

白人の権利擁護を訴えているNGO「アフリフォーラム」は、白人農家に対する襲撃事件は2017年だけでも400件以上に上り、84人が死亡したとして政府に対策を求めている。それとともに、EFFのマレマ党首が集会で、「白人農家を撃ち殺せ」と扇動する歌を歌っていたことを問題視して、裁判を起こしている。

2019年5月、民主化から25年となる節目の議会選挙が行われた。EFFは選挙キャンペーンでも土地問題を繰り返し争点に持ち出して、ANCを揺さぶった。これに対して与党ANCは、汚職まみれだったとして任期途中に交代させられたズマ前大統領の後任の、経済界出身で改革派とされるラマポーザ大統領を前面に立てて選挙戦を闘った。比例代表制で行われた選挙の開票結果は、EFFは得票率10・8%と、前回からほぼ倍増させた。これに対して、ANCは得票率57・5%で単独過半数は維持したものの、初めて60%を割り込み過去最低に沈んだ。

白人だけの住宅街

こうした中で、白人だけの共同体を築こうとするような動きまで出ている。

南アフリカ中部のキンバリーから車で3時間ほど南に移動すると、オラニアと名付けられた住宅街がある。1600世帯が暮らし、住民同士の取り決めで、事実上白人しか入居ができない。小学校も独自のカリキュラムで運営され、電気や水道のようなインフラも自分たちで整備している。また、住宅街の中でしか通用しない独自の金券を発行して貨幣の

南アフリカ中部にある白人だけの住宅街オラニアに暮らすダニエル・ドゥトイトさんとリニー・ドゥトイトさん夫妻。（ＮＨＫ／2019年５月）

ように使っている。まるで、黒人の権利拡大を推し進める政府と関わらないようにしているかのようだ。

２０１９年5月、この住宅街での取材が許された。この日も、移り住むことを希望する人がひっきりなしに見学に訪れていた。もちろん、全員が白人だ。住宅街の中には、いくつもベッドルームがあるような大型の邸宅もあれば、比較的小型の家もある。周辺では拡張工事も進んでいた。

2年前にケープタウン近郊から引っ越してきたドゥトイトさん夫妻にも話を聞いた。高齢の夫妻だ。夫のダニエルさんは長年、黒人を雇って農園を経営していたが、その土地を手放して入居した。妻のリニーさんは品のいい女性で、若い頃は航空会社の客室乗務員として世界中を訪れ、日本ではおじぎで挨拶することは知っているとしておじぎで迎えてくれた。

インタビューで、ダニエルさんに入居の理由を聞くと、「鳥だって同じ種類で集まって暮らしているじゃないか。もう76歳になり、落ち着いて、犯罪の心配なく暮らすことを望んだだけだ。ここなら玄関の鍵をかけなくても安心だ」と答えた。夫妻に、黒人を排除しているのはアパルトヘイト後の民主的な社会の価値観に反するのではないかと尋ねてみたところ、リニーさんは、「自分たちはほかの言葉や文化を尊重している。同じように、ほかの人たちにも自分たちの文化や価値観を尊重してほしいだけだ」と答えた。

インタビューの最後で、「『虹の国』の理想はどうなるのか？」と、ＥＦＦの活動家に聞いたのと同じ質問をしてみた。妻のリニーさんは、少し考えたあと、「虹は、もうこの国にはかかっていない。虹は消えてしまったのよ」と答え、寂しそうな顔をして黙り込んだ。

住宅街を案内してくれたセバスティアーン・ビールさんは、「世間から、時代遅れの人種差別主義者の白人が暮らす住宅街のように見られていることは承知している。しかし、それは誤解だ。自分たちの言葉や文化を大切にしたいだけだ」と繰り返した。確かに、犯罪を恐れ、子どもたちが少しでも安心できる場所で暮らしたいと願うのは当然のことだ。少数派のアフリカーナーが自分たちの言葉や文化を大切にしたいと願うのも自然な感情だ。しかし、それが白人だけで暮らすことを正当化するのかという私の疑問は最後まで解消されなかった。

「虹の国」の理想を掲げ、自由で多様で豊かな社会を目指すアフリカのモデルとも目されてきた南アフリカ。しかし、この国でさえも容赦なく揺さぶっている経済格差。アフリカのほかの国々にとっても、そして、世界全体にとってもいかに深刻で、解決が迫られる重大な課題であるかが浮かび上がっている。

第3章　そこをコロナが襲った

アフリカで広がる感染

「なぜアフリカには新型コロナウイルスの感染者が出ていないのか。熱帯の気候だからか?」

今から思えば、ずいぶん的外れな疑問だが、2020年の1月から2月にかけてはこうした質問を、しばしば日本から投げかけられることもあった。実際、2月28日に西アフリカのナイジェリアで、サハラ砂漠以南のアフリカ最初の感染者が確認されたと発表されるまで、アフリカはあたかもこのウイルスとは無縁であるかのようだった。しかも、ナイジェリアに続いて、セネガルやブルキナファソなどで次々に感染者が出ても、フランス人やイタリア人だったり、ヨーロッパから帰国した人だったりしたこともあって、アフリカの人の間で、「あれは海外旅行ができる白人の病気だ」と話す人までいた。

しかし、そんな状況は長くは続かなかった。確かに最初はヨーロッパとつながりがある人たちが持ち込んだものだったが、そのうち、外国と往来しているかどうかとは無関係に地元のコミュニティーで感染が広がり始めた。その後は大陸中に広がり、5月13日までにはアフリカの54か国すべてで感染者が確認された。そして、AU（アフリカ連合）のまとめでは、8月7日、大陸全体で確認された感染者は100万人を超えた。

このうち最も深刻なのが、アフリカ最大の工業国で、日本企業も多く進出する南アフリカだ。3月5日、イタリアへのスキー旅行から帰国した人が最初の感染者として確認された。アフリカにおけるほかの多くの初期の感染事例と同様、ヨーロッパとつながりのある人だった。しかし、外国と往来する人たちから持ち込まれたウイルスは地元のコミュニティーに入り込み、経済的に貧しい黒人が多く暮らすタウンシップで広がるようになった。アフリカ大陸全体の感染者が100万人を超えた8月7日、南アフリカの感染者は53万8000人あまりと半数以上を占めた。この段階で、南アフリカの感染者数は、アメリカ、ブラジル、インド、ロシアに次いで世界で5番目に多い国になった。

南アフリカのロックダウン

当初、アフリカの国々は、これまでのエイズやエボラ出血熱などの感染症対策の経験もあって、比較的早めに対策を取った。3月21日には、ルワンダがアフリカで初めてロックダウンに入ったのに続き、翌22日には北アフリカのチュニジアでもロックダウンが始まった。WHO（世界保健機関）のまとめでは、4月30日までに、サハラ砂漠以南を中心とする国々では、20か国あまりが全土で、あるいは一部の都市などを対象にロックダウンに乗り出した。

南アフリカ政府も、まだ1人も亡くなっていない段階でロックダウンの措置を取ることを発表し、3月27日から全土で始まった。食料品などの生活必需品の買い物や医療機関の受診などを除いて外出が制限されたほか、国境も封鎖され、外国から人が入ってこられなくなった。また、健康対策としてたばこの販売が禁止されたほか、治療のための病院のベッド確保など医療機関への負担を減らすためには、暴力事件や飲酒運転による事故を少しでも減らすことが必要だとして酒の販売も禁止された。さらに、ジョギングのような運動のための外出も禁止され、世界でも最も厳しい措置とまでいわれた。

私はロックダウンによって国際便の運航が停止される前に、日本に退避するかどうか検討したが、いったん出国したら南アフリカに再入国できなくなる状況だったために残留することにし、南アフリカに文字通り「閉じ込められた」。4月24日には、日本への帰国を希望する人のチャーター便が運航され、その後も臨時便が運航するようになったが、それらへの搭乗も見送った。

こうした中で、報道関係者は、医療や治安関係者などとともにエッセンシャルワーカーとされて外出制限の適用除外とされたため、屋外でなるべく短時間で行うなどの対応を取りながら取材を続けてきた。南アフリカをもってして、多様なアフリカを代表させることはとうていできないことは承知の上だが、それでも、アフリカのほかの国とも共通する現象や課題が見えてきた。

「脆弱性《ぜいじゃくせい》」とは何か

その最たるものが、WHOの記者会見でも繰り返し指摘された、“vulnerable”という特徴だ。一般的に「脆弱な」とか「もろい」と訳されている。先進国に比べて対策が取りにくいことを表している。

まず、社会インフラの脆弱さがある。中部の町クワクワでは、2年ほど前から水道が止まっていて、家々の庭には蛇口があるものの、ひねっても水が出ない状況だ。水不足は気

南アフリカ中部の町クワクワでは、自治体が行っていた水道事業が破綻し、給水車が水を配るが、不定期のため、いつも順番待ちの長い列ができる。（ＮＨＫ／2020年３月）

候変動による干ばつの影響もあるが、むしろ根本的な原因は、南アフリカの社会病理になっている汚職の蔓延だと指摘されている。

国営の電力会社や航空会社を汚職が蝕んできたように、地方自治体の中には、汚職の蔓延によって行政が機能不全になっているところがあり、クワクワでも、水道の工事をめぐる架空の受注や工事費用の横領などで水道事業が立ちゆかなくなってしまったという。

ある地区で取材中、突然多くの住民たちが家の中から大声を出しながらバケツを両手に持って路上に飛び出すと一目散に走り出した。何事かと思って、我々も走って追いかけると、地区の一角に給水車がやってきていた。住民たちによると、この地区に給水車が来るのは数週間ぶりだということで、あっという間に順番待ちの列ができた。

人々は、「ウイルス対策ではしっかり手を洗うことが必要だということは十分知っている。しかし、手を洗おうにもそもそも水がない」と訴えた。ユニセフ（国連児童基金）によると、南アフリカの都市人口の半分にあたるおよそ１８００万人が自宅で手を洗う設備を持たない。

マプレン・モディセさんは73歳で、孫たちと暮らす女性だ。家を訪ねると、ほかの家と同じように庭には水道の蛇口があるが、ひねっても水が出ない。孫たちが給水車からバケツに入れて運んでくる水だけが頼りだ。しかし、給水車も不定期にしか来ない中で、自衛のために、樽《たる》に雨水をためていた。手を洗う時も、樽の雨水を少しだけすくって大切そうに使っていた。「手をしっかり洗いたいが水道がない。このままだとウイルスに感染するのではないかと不安だ」と話した。

医療体制も脆弱だ。都市部には富裕層向けの私立病院はあるが、国民の半数近い貧困層にとっては地元の公立の医療機関が頼りだ。しかし、北部のリンポポ州では、保健省の職員の男性が「消毒液も足りない中で、どうやってウイルスと闘ったらいいのだろうか。そもそも、住民たちはウイルスに関する知識だって十分になく、人と人の距離を取ることの重要性も分かっていない」と嘆いた。

「人工呼吸器は整備されているのか?」と聞くと、職員は、「それはなんのことか? 正直、聞いたことがない。自分自身も知識が足りていないということだ」と自嘲気味に話した。2017年の世界銀行の統計では、1人あたりの年間医療費は、日本は4000ドルを超えているが、南アフリカではおよそ500ドルだ。サハラ砂漠以南のアフリカの平均である80ドルあまりに比べて多いとはいえ、それでも公立の医療機関をとりまく状況は厳しい。

対照的なロックダウン下の風景

ウイルス対策にしても、貧困層はより脆弱な立場に置かれている。

ロックダウンが始まると、富裕層の白人や、日本を含め外国企業の駐在員などが暮らす高級住宅街では通りを行き交う人の姿は消え、ひっそりと静まりかえった。多くの人がロックダウンの始まる前に食料品などを買い込むことができた。酒についても、ロックダウン開始とともに販売が禁止されることが発表されていたために、事前に多めに調達した人も少なくない。ロックダウン開始後は酒は買えなくなっていたが、食料品が足りなくなれば、普段と変わらず豊富で新鮮な野菜や肉が積まれた大型のスーパーに車で出かけてまとめ買いも続けることができた。治安も安定する中、人々は広い住宅にとどまり、在宅で仕事をしながら過ごすことができた。

しかし、こうした形でロックダウンを過ごすことができたのは国全体から見れば少数派だ。タウンシップでは全く異なる風景が見られた。ロックダウン開始後、ヨハネスブルクにあるタウンシップのひとつ、アレクサンドラ地区に向かった。高台からは、密集した住宅とその向こうにそびえ立つサントン地区の高級マンションやオフィスビルが一望できる。そこでは、人々は普段と全く変わらないように外出を続け、出歩いていた。アレクサンドラ地区だけではなく、別のタウンシップであるソウェト地区でも状況は同じだった。しかし、それは、人々が理由もなく出歩いているからではなかった。「生きるためには、外出を続けざるを得ない」状況だったのだ。

南アフリカでは2020年３月下旬にロックダウンが始まった。貧困層が暮らすタウンシップでは年金の受け取りの長い列ができて混雑した。（ＮＨＫ／2020年３月）

ロックダウン開始直後の３月30日は、公的年金の支給日にあたり、ソウェト地区でも大勢の高齢者が受け取りのために長蛇の列を作った。ソーシャル・ディスタンスをとることは全くできていなかった。ある男性は、「人混みを避けるべきなのは十分、分かっている。人と人の距離を取ることが大切なのも十分、知っている。しかし、食べ物を買うためには年金を受け取る必要があり、ここに並ぶしかない」と不安そうな顔をしながら話した。

いったん年金を受け取っても、高級住宅地のように快適に買い物ができるわけではない。タウンシップのスーパーには地元の人が大勢押し寄せていたが、店内に一度に入れる人数が制限

ヨハネスブルクのタウンシップのひとつ、ソウェト地区に暮らすロレーン・マシティさん。「外出禁止と言われても、生きるためには出歩かざるを得ない」と話していた。（ＮＨＫ／2020年４月）

されているため、ここでも外に順番待ちの長い列ができた。それもそのはずだ、所得の低い人たちは、車で出かけてまとめ買いするようなことはできず、近所の店で、その日食べるだけの買い物をせざるを得ないからだ。

ソウェト地区で、スーパーから出てきた女性に声をかけて、歩いて30分ほどの自宅に案内してもらい話を聞いた。40歳のロレーン・マシティさんは夫と５人の子どもの７人家族だ。勤めていた掃除会社からは雇い止めに遭い、家族の収入は外出制限の適用除外となっている警備員の夫の収入だけになった。この日、スーパーで買うことができたのは、わずかな肉のほかは、保存がきく豆やビスケットだけだった。国営の電力会社は汚職で十分に機能せず、頻繁に停電が起きている。停電で冷蔵庫もたびたび止まるため、生鮮食品を保存できないという事情もある。また、スーパーからは歩いて戻るため、たくさん買い込んでも運ぶのが大変だ。

住んでいる家は、日本の6畳間ほどの1部屋だけで、そこで家族7人がじっと身動きもせずに過ごすのは不可能だ。マシティさんはインタビューで、「ウイルスで多くの人が死んでいるのは知っているし、とても心配している。しかし、いくら政府が外出するなと言っても、出歩かないことは不可能だ。家の中にみんなが押し込められてじっとしていれば、かえって、誰かが感染したらすぐにほかの人にも感染してしまう」と話した。

タウンシップでは治安の悪化も

日が経つにつれ、タウンシップに暮らす貧困層の暮らしはますます打撃を受けた。日雇いの仕事を失って収入が完全に途絶えた人も急増し、4月下旬に政府系の調査機関HSRC（Human Sciences Research Council）が発表した調査では、4人に1人がもはや食料品を買うための金が尽きたと回答した。NGOや自治体が行う食糧配給には長い人の列ができた。

　こうした中で、タウンシップでは治安の悪化も進んだ。4月5日、ケープタウン近郊のタウンシップでは、ショッピングセンターの中にある酒の販売店で略奪事件が起きた。目撃者が撮影した映像では、数十人の群衆が大声を上げて閉店していた店になだれ込み、酒瓶の入った箱などを次々に持ち出す様子を捉えていた。略奪は散発的に起き、警察によると、その後の1週間でケープタウン周辺だけで16件になった。地元メディアでは、トラックが襲撃され、積荷の食料品が奪われる事件が相次いでいる様子を伝えた。また、支援食糧の配給の遅れに不満を高めた若者たちが治安部隊に投石し、治安部隊がゴム弾を打ち込むような衝突も起きた。

　さらに地元メディアが衝撃的な事件として取り上げ始めたのが、休校中で人のいない中、各地の学校が破壊され、放火されていることだった。「いったい、どこまでひどいことをするのか」と憤りながら、記者が現場から伝える様子もニュースで繰り返し放送された。

　我々も4月21日に首都プレトリア郊外の公立高校を取材に訪れた。校長のシドニー・シビヤさんが現状を広く知ってほしいと出迎えてくれた。その2週間前に、事務棟に何者か

首都プレトリア郊外で焼き討ちにあった高校の職員室を案内するシドニー・シビヤ校長。まだ焼け焦げたにおいが充満していた。（ＮＨＫ／2020年４月）

が入り込み、パソコンなどを盗み、火が放たれた。証拠を消すためと見られるということだったが、シビヤ校長の校長室も職員室も真っ黒に焼け焦げていた。生徒たちの学習状況を記録した資料も、指導に使う教材も燃えてしまい、まだ焼け焦げたにおいが充満していた。焼けてしまった辞書が床に散乱していたのが痛々しかった。

さらに、その事件の数日後には、今度は給食室にも何者かが入り込み、食材が盗まれることも起きた。シビヤ校長は、インタビューで、「教育はすべての基礎になるものだ。それなのに学校を破壊するのは、子どもたちから教育の機会を奪い、子どもたちの未来を奪う犯罪だ。

南アフリカのＡＮＣ政権のシリル・ラマポーザ大統領。ロックダウンによって貧困層と富裕層の間の「悲しい分断」が露になったと指摘。（写真提供：ユニフォトプレス）

盗んだ上に、火まで放つようなことが起きるとは想像すらしなかった」と憤った。

最後に、「こうしたことが起きていることをしっかり世界に報道してほしい」と話した。

5月26日、基礎教育省の報道官は、地元メディアに対して、ロックダウンが始まって以降、全土で１５００校以上が破壊行為の被害に遭ったと明らかにした。

「悲しい分断」が露《あらわ》に

世界最大とされる格差社会の矛盾がいっそう露になった。

治安が安定し、外出制限も徹底されている富裕層の暮らす高級住宅地と、日々出歩かざるを得ない貧困層が密集して暮らすタウンシップ。まるで違う暮らしぶりが隣り合わせになっている社会の状況について、南アフリカのラマポーザ大統領は、4月20日、国民向けに発表した文章の中で「悲しい分断」と表現した。

ラマポーザ大統領は、ロックダウンが始まってからの課題を指摘する中で、「配給所で食料を求める悲愴《ひそう》な人々や、食料の不足に対する抗議の様子を伝える映像を突きつけられている。お腹《なか》を空《す》かして泣く子どもがいるのに、食べ物をあげられない親の苦しみより大きな苦しみはない」と記した。また、「ある者は多くのものに囲まれ、快適に暮らしているのに、ある者は、わずかのもので生存するためのぎりぎりの暮らしをしているような社会ほど不正義なものはない。これは、分断され、不平等だった過去の名残だ。しかし、アパルトヘイト後の社会の根本的な失敗の症状でもある」と率直に認めた。その上で、「ロックダウンは、貧困と不平等そして失業が、私たちの社会のつながりをいかに引き裂くかをはっきりと示し、社会の悲しい分断を露にした」と指摘した。

ロックダウンの緩和

南アフリカ政府は、ロックダウンについて、当初から、感染者数の増加を減少に転じさせることよりは、むしろ感染拡大のピークの時期を後ろにずらすことを目指したものであり、そうして獲得できた時間を活用して、検査を積極的に行うとともに医療体制の整備を急ぐ方針だと繰り返し説明した。

こうした中で、ロックダウンによって社会や経済への負担が大きくなっているとして、5月になると、鉱山や一部の製造業の再開が認められたほか、レストランは引き続き店内での飲食やテイクアウトは禁止されたままだったが、宅配に限り営業が認められるなど部分的な緩和が行われた。ラマポーザ大統領はそれに先立ち、国民向けのテレビ演説で、「ロックダウンはおそらく感染症対策として最も有効なものだが、いつまでも続けるわけにはいかない。国民は食べていく必要があり、収入を得る必要がある。企業は利益を出し、従業員を雇用し続ける必要がある」と述べた。

6月になると、さらに大幅に制限が緩和され、ほぼすべての製造業や商店などが再開したほか、学校も段階的に再開した。ロックダウンが始まってから禁止されていた酒の販売も条件付きで認められるようになり、各地の酒販売店の前には長い人の列ができ、開店と同時に歓声が上がり、多くの人が待ち望んでいたビールやワインを買い込んだ（その後、再び一時禁止された）。7月になると、レストランの店内の飲食も認められるようになったほか、理髪店や映画館、それにカジノも再開した。

アフリカではくすぶり続ける可能性も

しかし、予想されていたこととはいえ、経済活動が再開し、人の移動が増えると、感染はさらに広がった。政府は、外出時のマスクの着用を義務化した上で、人と人との距離を取ることなどを徹底するよう国民に呼びかけているが、歯止めはかからず、ようやく8月15日になってラマポーザ大統領が「ピークは過ぎた」と述べた。

事情はアフリカの他の国でも似ていて、ガーナやナイジェリア、ケニアなどでもロックダウンは長続きせずに緩和されていった。

WHOは、5月7日に試算を発表し、サハラ砂漠以南を中心としたアフリカの国々では、十分な対策が取られなければ、最初の1年で、2900万人から4400万人が感染し、8万3000人から最大19万人が亡くなるとしている。そして、「エイズや結核などの感染症対策の経験や、若い人口もあって、アフリカでは世界のほかの地域で見られた急激な増加というよりは、ウイルスはいくつかのホットスポットでくすぶり続け、長く居座ることになる」との見方を示した。

アフリカの未来、世界の未来

ここ数年、国によって差異はあっても、急増する若者人口を追い風に経済成長を続けてきたアフリカは、「地球最後の巨大市場」として注目されてきた。しかし、新型コロナウイルスは少なくとも短期的にアフリカの経済に大きなダメージをもたらすことになる。2020年6月、IMF（国際通貨基金）は、世界全体の経済がマイナス4・9％まで低下する中で、サハラ砂漠以南のアフリカはマイナス3・2％になると予測した。このうち、ナイジェリアはマイナス5・4％、南アフリカにいたってはマイナス8％になると予測した。世界銀行はアフリカでこれほど大幅な後退になるのは25年ぶりだと指摘した。

アフリカでの経済成長の停滞は、アフリカだけの問題ではなく、世界全体にとっても課題だ。国連は、2030年までに世界が達成すべき目標として、「持続可能な開発目標」

を定め、人類のよりよい未来に向けた国際社会の共通の指針としている。飢餓の撲滅や教育の普及など17の大きな目標のうち、真っ先に来るのが「貧困の撲滅」だ。

国連によると、世界人口のうち絶対的な貧困状態にある人は、1990年の47%から2010年には22%に減少した。しかし、まだ多くの取り組みが必要であり、目標の達成のためには、アフリカでの前進が欠かせない。こうした中で、アフリカで、新型コロナウイルスによる経済の低迷、さらにそれが経済格差をいっそう広げることになれば、世界全体の貧困問題の解消にとって足かせになってしまう。

南アフリカの高級住宅地とタウンシップ。ヨハネスブルクでも車で30分も移動すればふたつの対照的な国の姿が現れる。しかし、これは豊かな先進国と脆弱な途上国という、地球規模の格差を凝縮した姿だともいえる。新型コロナウイルスは、地球上の「悲しい分断」を乗り越えていくため、人類が緊密に協力しなければならないことをはっきりと示している。

第４章　植民地支配の呪い

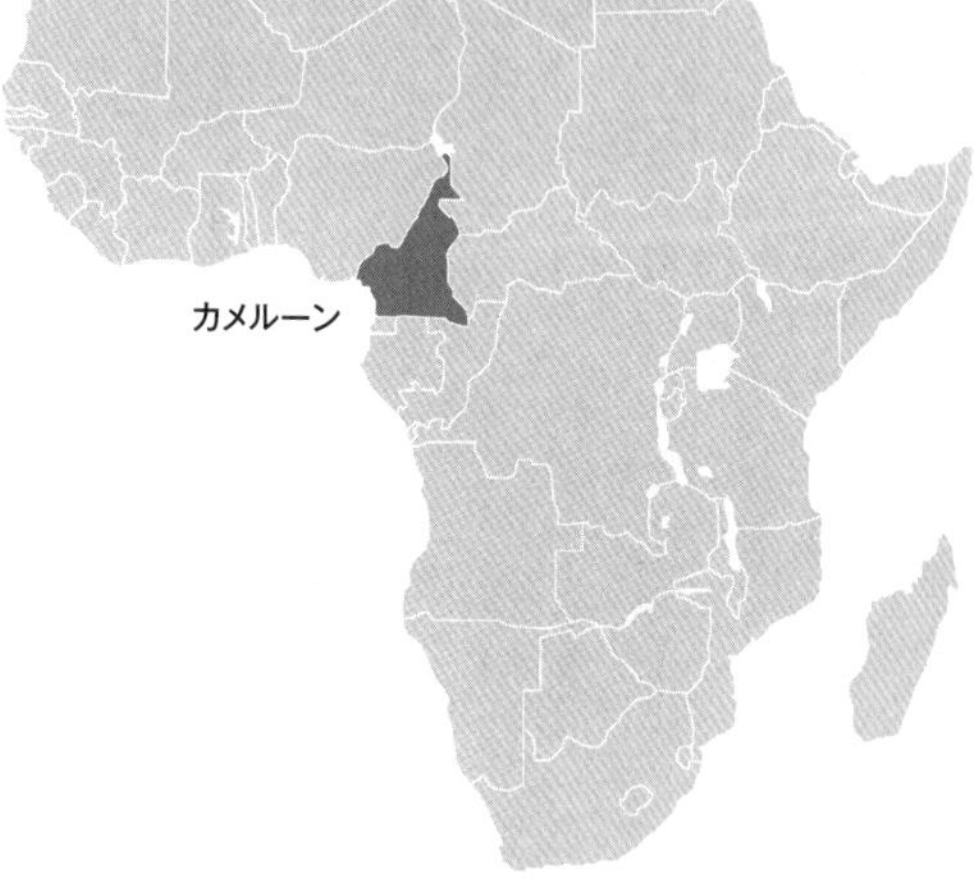

外部に翻弄されてきたアフリカ

貧富の格差や社会基盤の脆弱性など、アフリカが抱える課題の背景には、この大陸が何世紀にもわたって外部のパワーによって支配され、蹂躙《じゅうりん》され、分断されてきた歴史がある。

非人道的な奴隷貿易の時代を経て、19世紀の後半になると、イギリス、フランス、ドイツ、イタリアなど工業化を進めるヨーロッパ諸国は、アフリカを原料の供給地と工業製品の市場として利用するために進出を加速させ、1884年から開かれたベルリン会議では、アフリカ分割の原則を一方的に決めてしまった。そして、20世紀のはじめまでには、エチオピアなどいくつかの例外を除いて、アフリカ大陸のほとんどが列強によって植民地化され、収奪された。

これに対して、アフリカ側は粘り強く抵抗を続け、時には激しい独立戦争を戦った。1957年にイギリス領のガーナがサハラ砂漠以南のアフリカで初めて独立を勝ち取ったのに続き、「アフリカの年」と呼ばれる1960年には多数の国が独立を果たした。

ヨーロッパ列強によるアフリカ分割

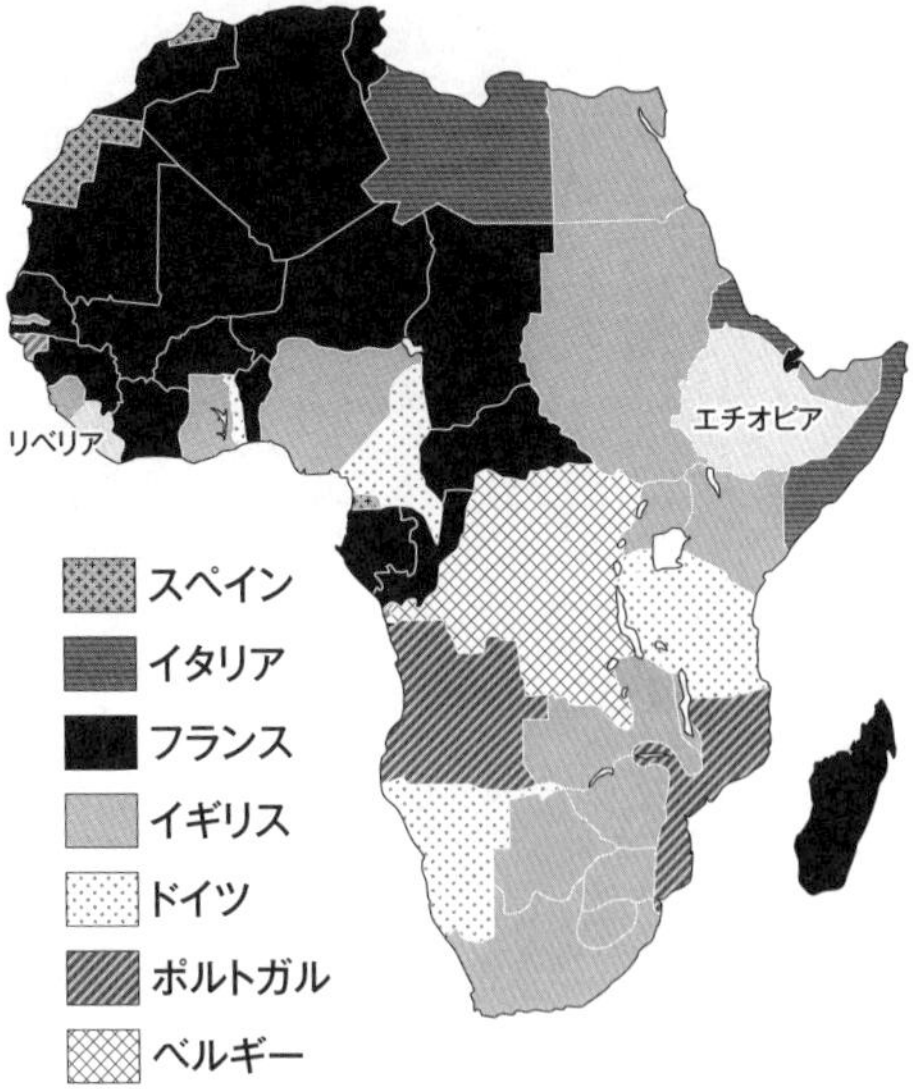

アフリカのほぼ全てがヨーロッパの列強によって分割され、植民地支配を受けた。多くの国が独立を勝ち取った1960年は「アフリカの年」と呼ばれる。
(『新世界史』〈山川出版社、2020年〉より作成)

しかし、独立後もアフリカの国々は、ヨーロッパの植民地主義者によって人為的に引かれた植民地の境界線を国境として引き継いだ。アフリカで直線的な国境線が目立つのはこのためだ。それぞれの国は旧宗主国との従属的な関係に置かれ続け、政治や司法、それに教育などの制度も引き継がれた。キリスト教の影響も大きい。アフリカの多様で豊かな文化や習慣ももちろんあるが、日常生活においても旧宗主国の影響が残っている。たとえば、イギリス領だったケニアに行けば、朝食ではイギリスと同じように四角いトーストが出てくるが、フランス領だったセネガルに行けば、細長いフランスパンが出てくる。

そうした影響の中でも最も大きいのが言葉だろう。

今でもアフリカ各国や地域の公用語のほとんどがヨーロッパの言葉だ。南アフリカでは道路標識や国営放送では英語が使われていて、毎日の生活や仕事は英語が中心になる。しかし、セネガルに行くとこれがフランス語になる。コンゴ民主共和国でもフランス語ができないと、街で人々の声を聞くためにインタビューしようにもなかなかうまくいかない。ただ、コンゴではフランス語といっても、ベルギーの植民地だったから一部の数字の言い方はベルギー風になる。これがアンゴラになると、ポルトガル語が話せないとレストランでの注文にも困る。

広大なアフリカ大陸を飛行機で移動する時は、途中で乗り継ぐことも多いが、旧英領や旧フランス領を経由するたびに空港の案内アナウンスの言葉が英語になったり、フランス

カメルーンの首都ヤウンデにある「統一の塔」。ふたつの柱が絡み合うデザインは、フランス語圏と英語圏が力を合わせて国作りを進める理想を表現している。（ＮＨＫ／2018年10月）

語になったりする。

１００年前の分断

言葉の面でも分割され、分断されたアフリカには、今も大きな傷跡が残っている。

アフリカ中部のカメルーンの首都ヤウンデを訪ねると、小高い丘の上に「統一の塔」が立っている。ふたつの柱が絡み合うデザインで、フランス語を話す人たちが暮らす国の東部と、英語を話す人たちが暮らす国の西部が力を合わせてカメルーンの国作りを融和的に進めていくというメッセージを発信している。

カメルーンでは、旧宗主国の言葉はひとつではなく、ふたつの言葉が公用語として話されている。その理由は、ほぼ100年前に終結した第1次世界大戦にまでさかのぼる。もともと一帯はドイツの植民地だったが、ドイツが大戦で敗れると戦勝国のフランスとイギリスが分割して支配するようになり、そして、それぞれの支配地域でそれぞれの言葉や習慣を押しつけた。1960年にまずは東部のフランス領が独立し、翌年には西部のイギリス領だった地域の一部と一緒になって今のカメルーンが誕生した。人口はおよそ2600万人、面積は日本の1・3倍近くある。

しかし、「統一の塔」のメッセージにもかかわらず、現実には双方の分断は解消されてこなかった。人口や国土のおよそ80%を占める多数派のフランス語圏が主導して国作りが進められ、残る20%の英語圏では、「少数派の自分たちは2級市民扱いされている」という不満がくすぶってきた。

超長期政権を率いるアフリカ最高齢の大統領

カメルーンにおける双方の力関係を象徴しているといわれるのが、フランス語圏出身のポール・ビヤ大統領だ。1982年に大統領に就任して以来、40年近くという超長期政権

カメルーンの首都ヤウンデのいたるところに見られたポール・ビヤ大統領のポスター。「経験の力」というスローガンを掲げ、長期政権の成果を誇示している。（ＮＨＫ／2018年10月）

を続けている。また、１９３３年生まれで90歳近くと、アフリカで最も高齢な大統領とされている。

首都ヤウンデでは、いたるところにビヤ大統領の巨大なポスターが掲げられていた。「経験の力」と大きく記され、自分こそが国を率いるのにふさわしい指導者だとアピールしているものもある。強権的な体制を敷いているとされ、政権の中枢や国営の石油会社の幹部などは同じフランス語圏の出身者で固めていると指摘されている。

そのビヤ大統領は、２０１８年10月の大統領選挙で再選し、さらに7年の任期を得た。選挙結果が発表されると、大統領府の近くには支持者が集まり、再選を祝った。支持者たちは、「この国を安定させることができるのはビヤ大統領しかいない」と口々に話した。

ヤウンデにいる限り、ビヤ政権は盤石にしか見えなかった。しかし、その体制は、独立以来最大といわれる挑戦を受けている。きっかけは、2016年、英語圏で行われたデモだ。長年の不満が噴き出した形で、教師や弁護士などが、イギリス式の教育や司法制度、英語の尊重を求める平和的なデモを行った。しかし、これを治安機関が弾圧したのを受けて対立が先鋭化し、英語圏では分離独立を求める武装グループが結成されるにいたった。武装グループは、2017年になると、武装蜂起して一方的に「独立」を宣言。これに対して、政府軍は鎮圧に乗り出していて、双方の武力衝突が続いている。

「英語圏」では何が起きているのか

2018年10月、その英語圏に入った。

首都ヤウンデから車で西に6時間の距離だ。いくつもの検問を通過して、英語圏の町リンベに到着すると、まず目に飛び込んできたのが破れたビヤ大統領のポスターだった。顔の部分だけがはがされていた。ヤウンデでは考えられない光景だ。

また、いたるところに政府軍の兵士が展開していた。我々も、取材中に兵士の様子を撮影したと誤解されて、兵士に取り囲まれたこともあった。街並みを撮影した映像には、たまたま兵士が映り込んでいただけだったが、上官はカメラにある映像をすべて消去するように迫ってきた。時には不機嫌なふりをしたり、時には笑顔になったり、時にはフランス語がよく分からないふりをしながら、時間をかけて最後は相手を根負けさせて事なきを得た。分離派の武装グループの襲撃がいつあるか分からない中、兵士たちがピリピリしていることは明らかだった。

「紛争の人質」になる人々

戦闘が激しいブエアの町から逃れてきたメルベイユ・カマジュさんは24歳の女性だ。3か月前に、政府軍の部隊が自宅に押し入り、武装グループのメンバーだと疑われた夫が射殺された。この時、4歳の息子が連れ去られ、今も行方が分からないままだという。インタビューでは、「政府軍は、どこにでも入ってきて、無実の人を殺している。夫だけでな

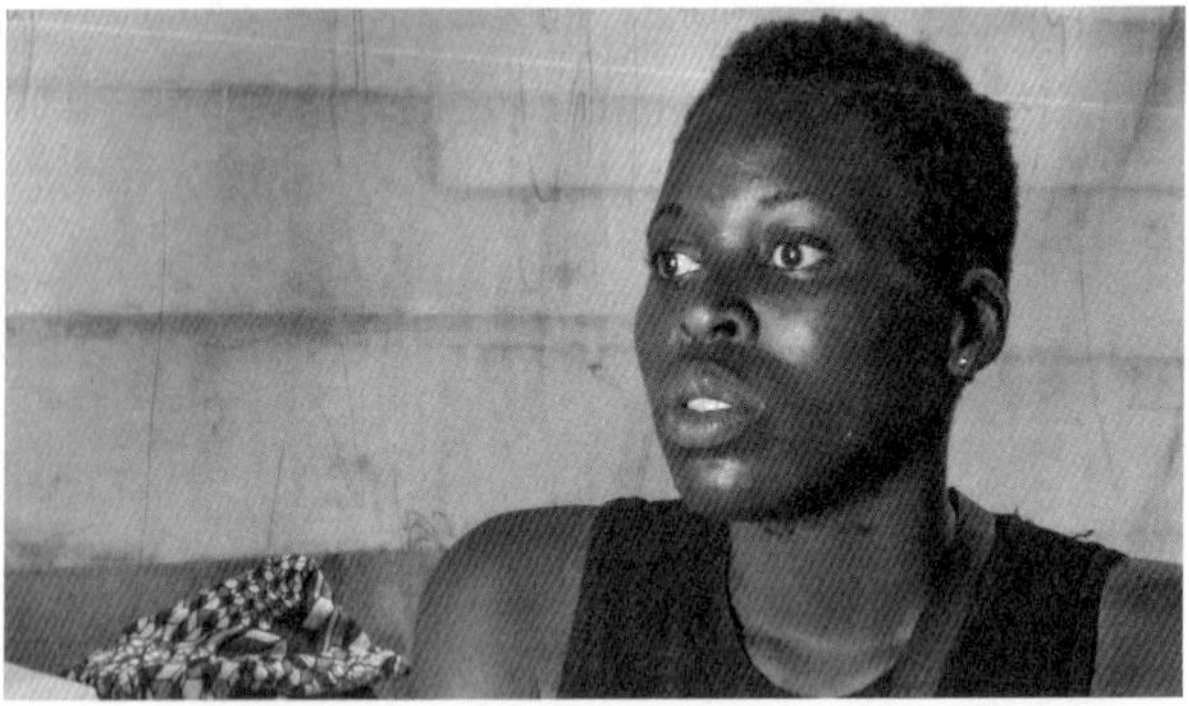

英語圏での戦闘を逃れてきたメルベイユ・カマジュさん。政府軍の兵士によって夫が射殺され、４歳の息子の行方も分からなくなってしまった。（ＮＨＫ／2018年10月）

く、多くの親戚も殺された。路上に多くの遺体があるのを見た」と涙ながらに訴えた。取材中、町に残る親戚から電話があり、「今朝も戦闘があり、近所の人が巻き込まれて死亡した。自分たちは森の中に逃げ込んでいる」という悲痛な声が、途切れがちな携帯電話を通して届けられた。

逆に、分離派の武装グループによる攻撃を証言する住民たちもいた。ロマロ・モジョさんは26歳の男性だ。分離派の武装グループの報復が怖いとして、我々に日本のメディアの取材なのかと繰り返し聞き、それを確認した上で、重い口を開き始めた。「英語が十分話せないと、フランス語圏の協力者だと言いがかりをつけられ

英語圏では分離派の武装グループによる人権侵害も横行していると証言したロマロ・モジョさん。武装グループによって兄が殺され、政府軍によって息子が殺された。（ＮＨＫ／2018年10月）

る。政府軍よりも分離派の武装グループの方が凶暴で恐ろしい」と話した。モジョさん自身も兄が殺されたということだった。

その一方で、政府軍によって2歳の息子が亡くなるという悲劇も経験していた。「自宅の近くで戦闘が始まり、家の中にも銃弾が飛び込んできて、息子も殺された。息子を埋葬して、着の身着のまま町を逃れてきた。今は何もしていない。ただただ、じっとしているだけだ」と話し、頭を抱えた。

紛争当事者の双方の暴力にさらされ、いわば「紛争の人質」のように囚《とら》われている住民たち。私が英語圏に入った翌月の11月、武装グループによって生徒や教師などあわせて80人以上が誘拐される事件が起きた。地元のキリスト教の教会が武装グループとの交渉に乗り出して解放されたが、武装グループは政府の権威に挑戦するかのように、生徒や学校の施設を標的にする攻撃を繰り返している。国連の人権高等弁務官事務所は、こうした武装グループの攻撃に強い懸念を表明したほか、政府軍が武装グループのメンバーと見なした市民を処刑しているとの報告も多数寄せられているとして、双方が一般市民を標的にした人権侵害を繰り返していると強く非難している。

「統一したカメルーンらしさがない」

ヤウンデで歴史研究家のウィルブロード・ザングワさんにインタビューした。ザングワさんは、「100年前の第1次世界大戦後の分割が、今の危機にどれほど影響を与えているかといえば、100%影響を与えている」と言い切った。そして、「1960年以降に今のカメルーンが結成されたが、英語とフランス語というふたつの言葉による分断が解消されることはなかった。イギリスとフランスが押しつけていた法律や教育の制度によって、今も、それぞれの地域の人々の日常生活は規定されている。我々には、統一したカメルーンらしさは形成されてこなかった。その証拠に、『カメルーン語』というすべての国民に共通の言葉を持っていない」と話した。

その上で、「フランス語圏が国作りを主導する中で、英語圏の人々は隅に追いやられてきた。英語圏の人々が2級市民のように扱われていることこそが問題を深刻化させている。しかし、フランス語を話す人が主体になっている政府は問題を解決しようとするどころか、英語圏の人々を追い詰めて、一部を過激な武装闘争に走らせてしまった」として、政府の対応を批判した。

一方で、政府側は、英語圏での独立を求める動きは決して容認できず、封じ込める姿勢を鮮明にしている。閣僚のイッサ・チロマ情報相がインタビューに応じた。

「カメルーンは、フランス語と英語のバイリンガルの国だ。本来ならば、すべてのカメルーン国民はこれらふたつの言葉を使えないといけない。それが建国の精神だった。しかし、実際には、英語圏では政府役人への登用や経済発展でも格差があるとして不満を募らせている。そこに過激な分離主義者たちがつけ込んでいるのだ」

——対話による解決は可能ではないのか？

カメルーン政府のイッサ・チロマ情報相は、政府側が対立を先鋭化させているとの批判に、「分離派はテロリストで、国の統一に対する脅威」と武力行使を正当化。（ＮＨＫ／2018年10月）

「もちろん、政府は対話でしか問題を解決できないという立場だ。しかし、政府機関を攻撃し、学校を焼き払い、子どもたちを誘拐するような連中には、武力で対峙《たいじ》するしかないのだ。分離派はテロリストであり、政府としては、国の統一に対する脅威には全力で対応しなければならない」

その上で、チロマ情報相は「分離派は政治的な要求を掲げているが、実際には資源を独占しようとしている」と話し、天然資源の利権についても語った。

拍車かける「資源戦争」

実際、英語圏では、幹線道路沿いにゴムや果

カメルーン西部、英語圏の町リンベの沖合にある石油関連施設。油田は英語圏にしかなく、独立を許せば石油資源を失うとフランス語圏主導の政府は危惧しているといわれる。（ＮＨＫ／2018年10月）

物などのプランテーションが広がっていた。また、リンベの沖合にはいくつもの石油の採掘施設が見えた。さらに、国営の石油精製会社もあった。石油はカメルーンにとって重要な外貨獲得の手段だ。

英語圏の分離を求める武装グループは、英語圏に集中している豊かな資源の恩恵は英語圏が受けるべきだと主張しているのに対して、政府としては豊富な資源を失いかねない英語圏の分離独立の動きを絶対に認められないのが実状だ。地元のジャーナリストが、「偶然なのだが油田はすべて英語圏にしかない。このことが紛争を激化させてしまっている」と説明した。

英語とフランス語という言葉によって分割さ

れた対立なのだが、その背後には、資源利権の奪い合いもあるのだ。

炸裂《さくれつ》する「時限爆弾」

「内戦は誰かが『今日から始める』と宣言して始まるのではない」

これは、国連のイラク問題の特使だったラクダール・ブラヒミ氏が、2004年2月にバグダッドでの記者会見で述べた言葉だ。当時、私は、バグダッドを拠点にイラク情勢を取材していたが、今でも、この記者会見での言葉をはっきりと覚えている。

その頃、イラクはアメリカ軍主導の占領下にあったが、イスラム教の異なる宗派の違いを扇動する勢力によって対立が深まっていた。双方の勢力の間で衝突が起きるたび、当初は、「同じイラク人なのだから、そんなに心配はない」という声も出て、誰もがそうであってほしいと願ったが、実際には状況はずるずると悪化してイラクは内戦に滑り込んでいった。「ある朝起きたら、我々は内戦下の国にいた」という感覚だった。

状況は隣のシリアでも同じだった。2011年以降、強権的なアサド政権に対する民主化要求が、いつの間にか、宗派間の対立の様相を見せるようになり、少しずつ泥沼の内戦に陥っていった。

カメルーンもそうした危機的な状況に陥るのだろうか。カメルーンと同じように、イラクもシリアも、第1次世界大戦後のイギリスとフランスの植民地主義に基づく分割を経て生まれた国だ。

国連は、2020年3月、カメルーンの英語圏の68万人が家を追われて国内避難民になったほか、5万人以上が隣国のナイジェリアに難民として逃れたと発表した。また、世界各地の紛争地について調査している「インターナショナル・クライシス・グループ」は戦闘などによって3000人以上が死亡したとしている。さらに、グループでは、混乱が続く中で80万人の子どもが学校に通えなくなっていると伝える。

しかし、国際社会の関心は低い。国連は戦闘で家を追われた避難民の支援活動のための資金の拠出を各国に呼びかけているが、2018年だけでも必要な額の半分も集まっていない。国際メディアもなかなか現地入りできない。我々も入国に向けて、南アフリカのプレトリアにあるカメルーン大使館に何度も足を運び、いくつもの書類を提出したが、ビザの取得はにっちもさっちもいかなかった。最終的にはヤウンデのチロマ情報相に直接電話をかけて、チロマ情報相が招待状を出すことでようやくビザを取得できた。

イギリスとフランスの植民地支配によって埋め込まれた分断が、１００年の時を経て、まるで時限爆弾のように炸裂しているカメルーンの混乱。外部勢力によって翻弄されてきたアフリカの姿をまざまざと見せつけている。

第5章　中国化するアフリカ

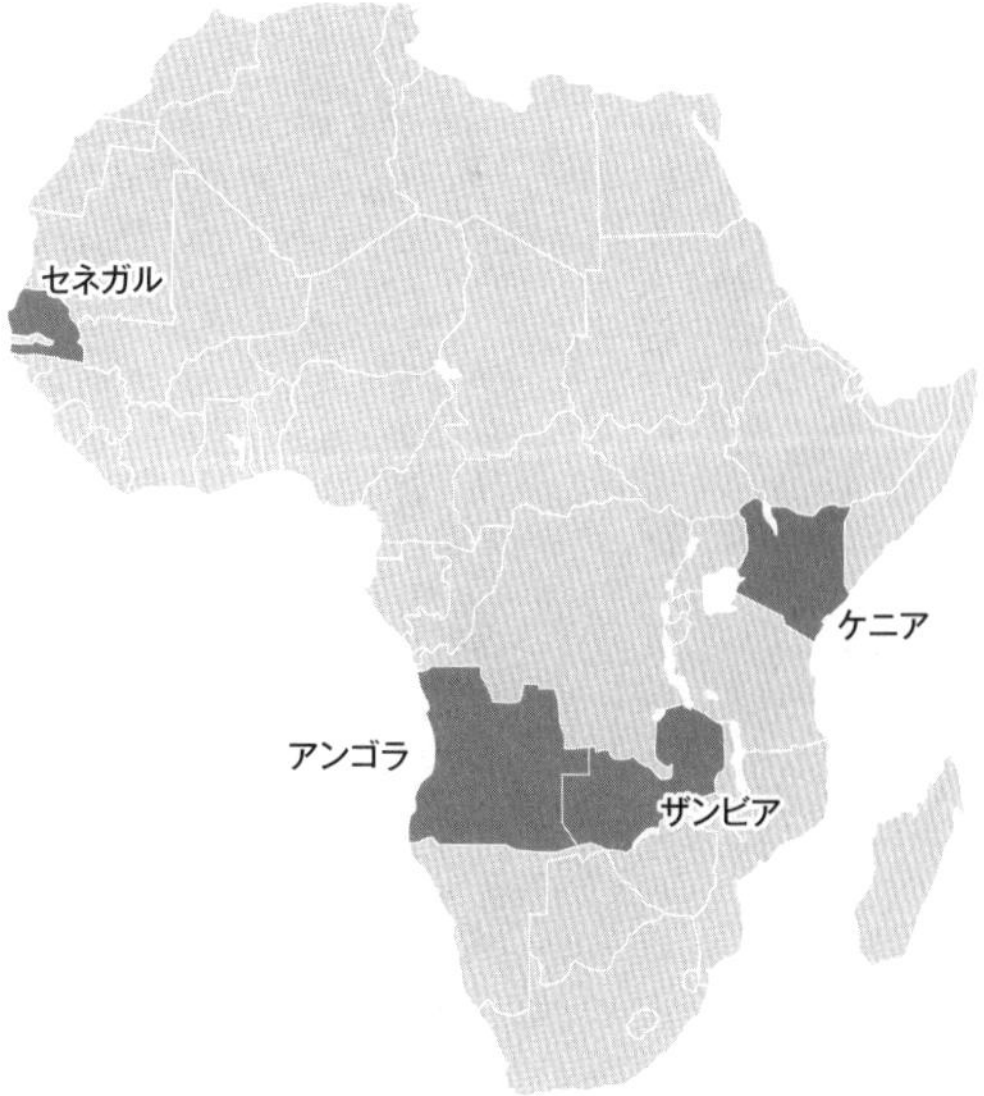

アフリカの水餃子《すいギョーザ》

「それにしても、ここまで増えているのか」

2018年8月、出張で5年ぶりにケニアの首都ナイロビを訪ねた時だ。国際空港から市内に向かう幹線道路では中国語の看板が以前よりずっと増えていた。中国人の姿も中国料理のレストランも以前より増えていた。それもそのはずだ。アフリカに暮らす中国人は大陸全体で100万人を超えたといわれている。

ナイロビに到着した夜、中国料理のレストランが軒を並べる一角に行ってみた。どのレストランも大勢の中国人たちで賑《にぎ》わっていた。水餃子を注文すると、皿いっぱいに出てきた。以前、中国を訪れた時に食べたのと同じ味で、「なんだか中国に出張に来たみたいだな」と思いながらほおばった。

かつてヨーロッパ列強によって植民地とされ蹂躙されたアフリカ。今もまた、別の外部パワーの進出によって翻弄されることになるのか。いや、今度はそうではなく、アフリカの経済発展に貢献するための進出ではないのか。

ケニアの首都ナイロビ。空港から市内に向かう幹線道路を走れば、道路沿いには、中国企業の宣伝広告の看板が次から次へと現れてくる。（ＮＨＫ／2018年８月）

とどまるところを知らない中国のアフリカへの進出は、大きな論争を巻き起こしている。

インフラ建設で食い込む中国

ケニアでの中国進出の象徴となっているのが、首都ナイロビとインド洋に面した港湾都市のモンバサを結ぶ全長およそ４８０キロの長距離鉄道で、２０１７年５月に開通した。

ケニアの建国以来最大規模の公共事業といわれるだけに総工費は日本円でおよそ４０００億円かかったが、その９割が中国からの融資だ。また、建設も中国企業が担い、中国人のエンジニアや労働者が送り込まれた。さらに、車掌や切符の販売なども中国企業が中心になって取りしきっている。中国の鉄道が丸ごとケニアに移植されたようなものだ。

　アフリカ側が渇望するインフラ整備を通した中国の進出は、東アフリカのケニアにとどまらない。西アフリカのセネガルでは、中国企業が、基幹となる首都ダカールから内陸を結ぶ高速道路のうち115キロの区間の建設を担っている。中国企業はセネガルではさらに、新しい工業団地も建設した。ダカールの国際空港近くにセネガル政府が日本円で48億円あまりかけて開設したものだが、土地の整備やビルの建設は中国企業が請け負った。

　案内してくれたセネガル人の責任者に、どこの部分を中国企業が建設したのか聞いたら、「全部。すべて中国人が作ったものだ」という答えだった。工業団地の中には、さっそく中国の企業も進出し、地元の女性を雇ってシャツを作る工場も操業を始めた。中国人の指導員は、「セネガルの将来性を見込んで進出を決めた」と話していて、最終的には1万5000人を雇い、3交代で24時間稼働するということだった。

　アフリカにとって課題のインフラ整備は中国企業に進出のチャンスをもたらしている。しかし、中国は何もしないでこうしたチャンスを手に入れているわけではない。そこには国を挙げた取り組みがある。

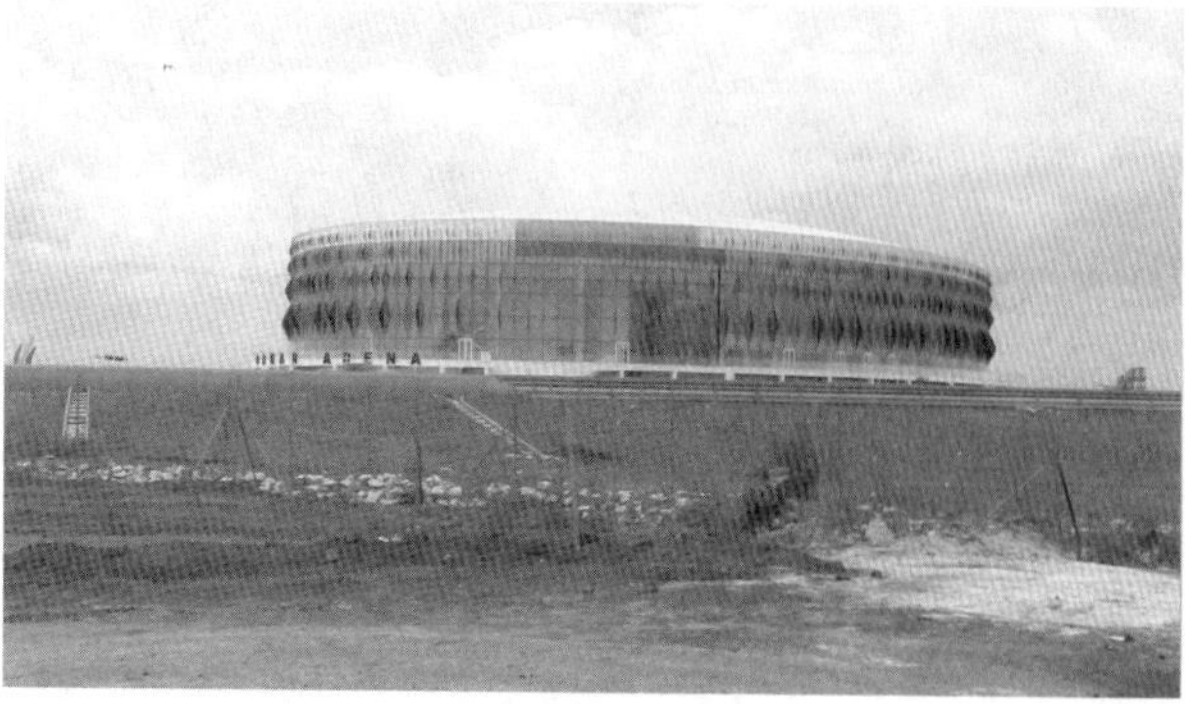

セネガルの首都ダカールにある大型のスポーツスタジアム。アフリカ各地には、中国政府から提供された「箱物」が目立つ。（ＮＨＫ／2018年８月）

習近平《しゅうきんぺい》国家主席は２０１８年の段階で、すでに就任以来４回もアフリカを訪問し、２０１８年７月にはセネガルも訪れ、経済支援を約束していた。「贈り物」だって欠かさない。ダカールには中国が建設した建物があちらこちらにある。大型のスポーツスタジアムの建設費用は日本円で60億円、博物館は22億円、さらに北京にある人民大会堂を彷彿《ほうふつ》させるデザインの劇場は38億円かかったと報じられている。これらはほぼすべて中国政府から無償で提供されたものだという。

中国進出の影

その一方で、中国の進出が勢いを増すにつれ、アフリカ各地でさまざまな問題や軋轢《あつれき》も出てきている。

ダカールの市場では、中国人の商人が靴やカバンなど大量生産した製品を中国から持ち込んで安い値段で売りさばいている結果、地元の零細な産業が打撃を受けていた。地元の靴職人が集まる地区を訪ねると、職人たちから「何をしに来たんだ」とすごまれてしまった。我々がカメラを持っているのを見て、「絶対に撮影するな」と怒ってくる人もいた。我々が日本のテレビ局のクルーだと説明しても信用してくれなかった。「そんなことを言っているが、中国人に違いない。中国人が自分たちの靴のデザインを真似《まね》するために写真を撮っている」と言うのだ。

こうした中でひとりの職人が取材に応じてくれた。ママス・チャムさんは15歳から靴作りを始めて20年。ひとつひとつ手作りして販売しているが、およそ5分の1の値段、日本円で200円ほどで売られる中国製の大量生産の靴にはとても太刀打ちできないという。しかも、人気のデザインを生み出しても、しばらくすると中国からそっくりのデザインのものが作られて持ち込まれるという。「何人もの仲間が立ちゆかなくなり、靴作りを辞めていった」と話した。そして、「申し訳ないけれど、中国の人たちには、頼むから国に帰

セネガルの首都ダカールの靴職人のママス・チャムさん。20年間、手作りで靴を作っているが、中国からの量産品の価格にはとても太刀打ちできないという。（ＮＨＫ／2018年８月）

ってほしいんだ」と、遠慮がちながらもはっきりと話した。

ケニアの長距離鉄道をめぐっても自然破壊が批判されている。ケニア政府はナイロビから内陸に向けて線路を延伸する二期工事を始めていたが、新たな路線はナイロビの中心部に隣接する「ナイロビ国立公園」の中を通ることになったのだ。サイやライオンなど４００種以上の貴重な野生動物の宝庫である国立公園の中で２０１８年２月に工事が始まり、あっという間に１００本を超えるコンクリートの柱が建てられた。

ケニア政府と中国企業の建設会社は、国立公園の中では、線路は高架の上に敷かれ、柱はキリンも下をくぐれるだけの高さがあるので野生

ケニアの首都ナイロビにある「ナイロビ国立公園」で行われていた中国による鉄道線路の延伸工事。公園の真ん中を通過することになり、自然保護団体は猛反発した。（ＮＨＫ／2018年８月）

動物への影響はないと主張していた。しかし、多くの国民が詭弁《きべん》だとして反発し、自然保護団体は中国大使館に対しても抗議デモを行った。

自然保護団体「ナイロビ国立公園友の会」のレインハード・ボンケさんは、政府は当初、公園を迂回《うかい》するルートになると説明していたものの、よりによって真ん中を通ることになったと指摘した上で、「政府は経済界と一緒に建設を強行した。この事業に融資している中国側にも環境破壊の責任はある」と批判した。

また、ケニアの有力紙が、建設現場では、中国人の管理者によってケニア人の労働者が肩身の狭い思いをしたり、差別を受けたりしていると大々的に報道し、ケニアの鉄道当局が中国の建設会社に説明を求める事態も起きた。30代のエンジニアの男性が匿名を条件に我々の取材に応じた。男性は、工事現場では、中国人がバスに乗っているとケニア人は乗ることができず次のバスを待たないといけないようなことが横行していると証言した。

中国に6年間留学していた男性は「当初は中国の建設会社で働き、祖国のビッグプロジェクトに参加できることを喜んでいただけに失望が大きい」と話した。また、「工事現場では説明書など見るものすべてが中国語で書かれていて、管理者は全員中国人で、まるで中国に来たようだと思った。つまり、自分の国にいないように感じた」と一部は流暢《りゅうちょう》な中国語で話した。

増え続ける借金

こうした中、アフリカ各国で中国に対する借金が増え続けていることが、国際的にも議論を呼んでいる。

中国のアフリカでの融資の実態について公式な統計は発表されていないが、アメリカのジョンズ・ホプキンス大学の研究グループは、２０００年から２０１８年にかけて、中国政府や政府系の金融機関がアフリカ各国に対してあわせて1480億ドル、日本円でおよそ15兆6000億円を融資したとする調査結果をまとめている。

中でも借金の状況が深刻なのが南西部のアンゴラだ。ジョンズ・ホプキンス大学の調査では、アンゴラは、アフリカで最も多く中国からの融資を受けてきた国で、その額は432億ドル、日本円で4兆6000億円を超えている。

2019年7月、首都ルアンダを訪れた。アンゴラでは、1975年のポルトガルの植民地支配からの独立以降、政府軍と反政府勢力の激しい内戦が続き、2002年に終結するまで25年以上続いた。私はその年にアンゴラ入りし、内戦の混乱で離れ離れになった行方不明の家族を探す人や国内避難民の食料不足問題などを取材したが、和平への期待の一方で国は混沌《こんとん》としていた。しかし、それから17年ぶりに訪れたところ、内戦の面影はなくなっていた。大西洋に面して数キロにおよぶ遊歩道が整備され、それに沿うように高層ビルの建設が進んでいた。ポルトガルの統治時代を偲《しの》ぶ古い低層のビルは次々に取り壊されていた。

アンゴラはアフリカ有数の産油国で、石油の輸出に支えられ、経済成長率は2000年

中国のアフリカへの融資額の推移
（アメリカ ジョンズ・ホプキンス大学）

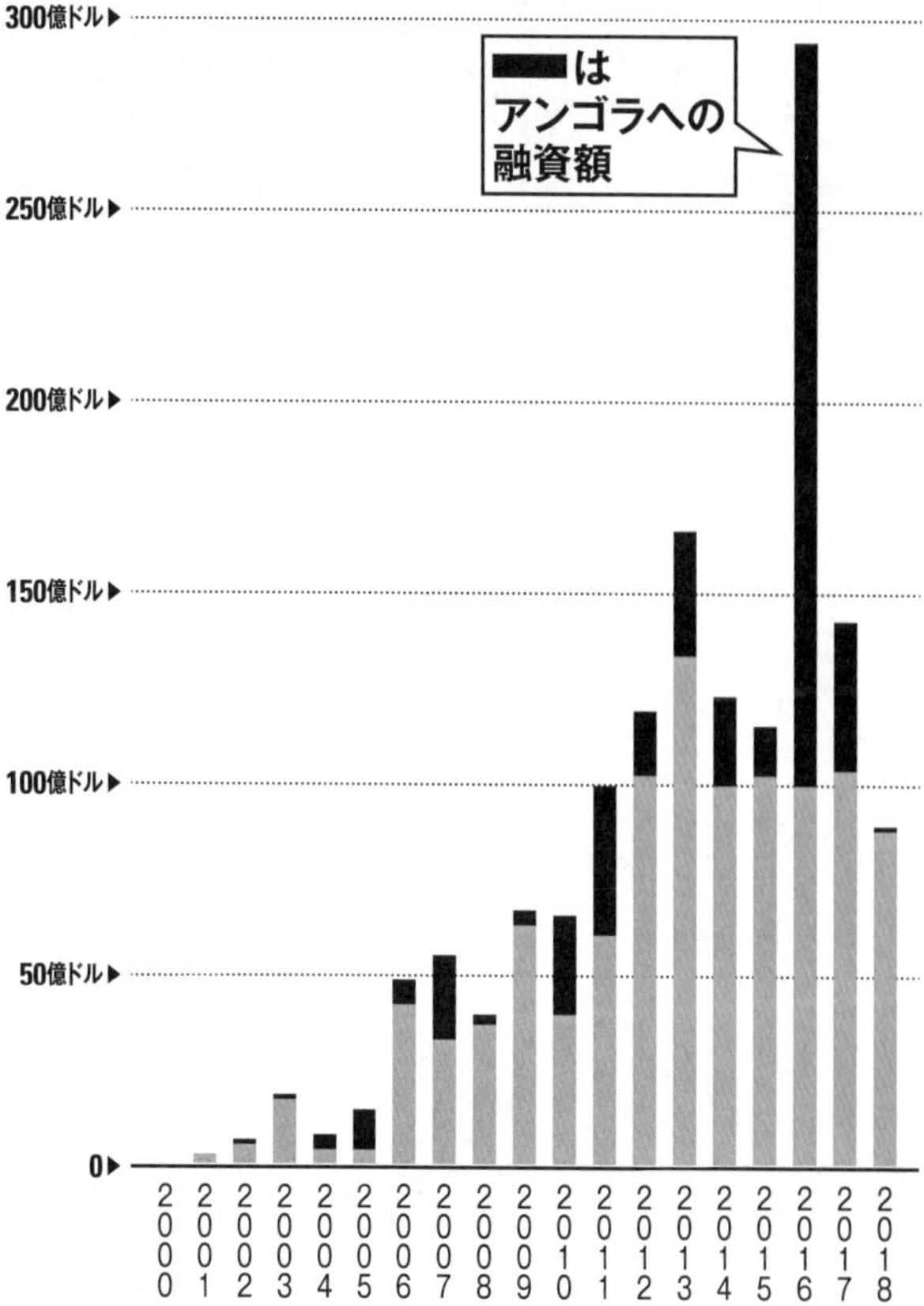

中国はアフリカの国々に積極的に融資をしているが、このうち最も多額の融資を受けてきたのがアンゴラだ。

アンゴラの首都ルアンダ。海沿いには遊歩道が整備され、富裕層などがジョギングや犬の散歩を楽しんでいる。（ＮＨＫ／2019年８月）

代には多くの年で年率10％を超え、中には15％を超えた年もあった。富裕層や中間層が誕生し、海沿いの遊歩道では、ブランド品のスポーツウェアに身を包んだ若者たちがジョギングを楽しんでいた。「ビル、住宅、娯楽施設、なんでもどんどんできている」と誇らしげに話していた。

ここでも中国の存在感は大きい。象徴となっているのが、ルアンダから30キロ離れた郊外に誕生している新都市だ。５０００ヘクタールの敷地に７００棟ものマンションビルが続々と完成している。学校や商業施設のほか、独自の発電所や浄水施設、それに交通網も整備され、すでに７万人が暮らしている。

内戦が終結した２００２年から６年後の２００

アンゴラの首都ルアンダの郊外には、中国企業が建設した大規模な新都市が出現している。将来的には20万人が暮らす予定だ。（ＮＨＫ／2019年８月）

８年に中国政府が全額を融資して、４５０の中国企業が工事に乗り出した。道路標識にも「２０３路」「東」「西」といった中国語が記されている。今後さらに拡張され、将来的には20万人が暮らす予定だという。新しい都市が丸ごと中国によって作り出されているのだ。

住民のひとり、オクタビオ・サンバさんは39歳のエンジニアで、妻と５人の子どもの７人家族だ。１２０平方メートルの３ＬＤＫを日本円でおよそ８００万円で購入し、20年の住宅ローンで返済するという。「中国のおかげで、マイホームを持つという夢がかなった」と喜んでいた。

しかし、こうしたインフラ建設はタダではな

新都市の道路標識も中国語だった。東西の方角なども漢字で記されている。（ＮＨＫ／2019年８月）

い。かかった資金はあくまで借金で、新都市の総事業費の35億ドル、日本円で３８００億円あまりにしても、アンゴラ政府は中国に返済していく義務がある。それにしても、中国はアンゴラにこんなに貸し付けても心配にならないのだろうか。地元大学の経済学者のカルロス・ロザド教授は、「そこには大きなからくりがある」と指摘する。

ロザド教授によると、アンゴラの対外債務のおよそ60％が中国から借りたものだが、中国は多くの場合、担保として原油を押さえているという。アンゴラの石油資源は内戦で政府軍と反政府勢力が奪い合い、２０００年代の経済成長を支えてきた。輸出額のおよそ95％を原油が占め、逆に言えば、原油以外は輸出できるものがないような国だ。

アンゴラの石油施設。アンゴラはアフリカ有数の産油国で、輸出額の大部分を原油が占めている。中国は原油を担保にアンゴラに多額の資金を融資しているといわれている。（写真提供：アンゴラ石油省）

この唯一ともいえる資産で借金の返済を保証させているという。しかも、中国の多額の融資によってインフラ整備が進められるが、その工事を請け負うのは多くの場合、地元の業者ではなく中国の企業だ。

多額の債務を抱えたアンゴラ側は、原油を売り、捻出した外貨を債務の返済にあてることになる。そして、その原油を多く買っているのも中国なのだ。中国にしてみれば、融資した資金は戻ってくる上に、自国の企業にも還元され、さらに原油も手に入るという仕組みだ。ロザド教授は、インタビューで、「中国に完全に有利な仕組みで、アンゴラ政府はどうしてこんな不利な融資条件にサインしたのか信じられない気

アンゴラの首都ルアンダ。高層ビルが並ぶ富裕層エリアから車で10分も移動すると、トタン屋根のスラム街が広がっている。（ＮＨＫ／2019年８月）

持ちになるほどだ」と話した。

借金がふくらみ続ける中、そのしわよせは国民生活におよんでいる。高層ビルが建ち並ぶ、首都ルアンダの海沿いの遊歩道から車で10分も走れば、トタン屋根のスラム街がどこまでも続いている。歩道橋に上ると、高層ビルとスラム街が同時に視界に飛び込んでくる。南アフリカのヨハネスブルクのタウンシップから見る景色とそっくりで、同じように複雑な気持ちになる。

借金の返済によって国の財政が逼迫《ひっぱく》する中、アフリカ有数の産油国でありながら、アンゴラ国民の３人に１人は一日１・９ドル以下の収入で暮らす貧困層だ。ロザド教授の調べでは、アンゴラの債務返済は、利息だけで国の支出の12％を占め、医療と教育それぞれの支出を上回っている。

中国からの融資を次々に受け入れてきたのが、独立後、アンゴラで40年近く長期政権を維持したドスサントス前大統領だ。もともとはポルトガルからの独立運動の闘士だったが、長期政権が続く中、親族で権力を固め、アンゴラは「アフリカで最も腐敗した国」とまでいわれていた。そうしたアンゴラに対して融資を行うことに欧米先進国が慎重になる中、中国はためらわずに資金を貸し付けながら関係を強化したといわれている。

こうした状況について、アンゴラ政府のアゼベド石油相を直撃した。インタビューの中で、アンゴラの石油生産は、新規の探査や機材の整備が十分でなかった問題などから減少しているものの、改革を進めることで取り返したいと強調した。この中で、中国からの融資の返済が原油で担保されていることについても質問をぶつけた。

——原油で中国に返済することは石油産業にとって負担になっているか？

「借金は国の発展のためには必要であり、返済義務は果たしていく」

——しかし、原油価格が低下する中で負担が増えているのではないか？

「その議論には詳しくは立ち入りたくないが、今も言ったように、政府は約束を守る。我が国には借金があり、返済していく。それだけだ」と話した。

「債務の罠《わな》」批判と反論

こうした状況について、専門家などの間からは、インフラ整備の重要性を認めながらも、警鐘を鳴らす声が高まっている。ケニアの経済の専門家アリカン・サチュさんは、「債務によってアフリカをコントロールしようとしているようなもので、『債務の罠』であり、『債務外交』だ」と指摘した上で、「中国は、借金でがんじがらめにして、アフリカへの影響力を強めている。これでは『新植民地主義』だ」と批判した。

これに対して、アフリカ各国の政府関係者は一般的に、経済発展に必要不可欠なインフラ整備のための中国からの融資を歓迎している。セネガル内陸の高速道路の総工費は日本円で900億円近く。その85％は中国の融資で、セネガル側は年利2％で返済していく義務があるが、セネガル政府の当局者はインタビューで、「高速道路は国の発展に欠かせない。中国は融資の決断スピードが速く、助かっている。セネガル政府の要望にためらわず即座に応えてくれた」と話した。

ケニアでも、長距離鉄道の延伸工事ではさらなる借金が必要になっている。現地の報道では、ケニアの債務は20年で10倍にふくれ、２０１８年８月の段階で、日本円で５兆円を突破したという。しかし、ケニア政府は２０３０年に中進国入りを目指すという国家目標を掲げていて、その実現に向け、鉄道網の整備を起爆剤にしたいという考えだ。

中国とアフリカは「運命共同体」

２０１８年９月、中国の北京で、中国とアフリカの首脳が一堂に会する国際会議「中国アフリカ協力フォーラム」が開かれ、アフリカの50以上の国の代表が集まった。中国はこの会議を２０００年から開催していて、首脳レベルは３年ぶりだった。この年に中国で開催された国際会議の中で最大規模のものとなった。

この中で、習近平国家主席は、「中国はアフリカの永遠の友人で、いかなるものも団結を壊せない。さらに緊密な運命共同体を築く」と、「運命共同体」という言葉まで使いながら関係強化を進める考えを示した。そして、融資などの名目で、今後３年間で総額６００億ドル、日本円で６兆円以上を拠出すると表明し、中国が提唱する巨大経済圏構想「一

2018年９月に北京で開かれた「中国アフリカ協力フォーラム」で演説する習近平国家主席。（写真提供：ユニフォトプレス）

帯一路」を通じて、アフリカで影響力を拡大していく姿勢を鮮明にした。

首脳会議に先立って開かれた記者会見では、毎回のように海外メディアから、アフリカの債務の問題について質問が出て、中国政府の当局者は、「融資は経済成長に役立っていて、アフリカ各国の指導者から高く評価されている」と反論した。こうした記者会見に参加した記者によると、中には声を張り上げて感情的に反論する幹部もいたほどで、この問題を中国政府が強く意識していることがうかがえたということだ。首脳会議で、習主席は、重い債務を抱える国などに対して、一部の無利子の債務については、返済を免除する考えを示した。中国からの融資をめぐる批判や懸念にも配慮したものと受け止められた。

アフリカに根を張る中国人

それにしても、アフリカでの中国人はたくましい。

ザンビアの首都ルサカで、昼食をとるために、中国料理の屋台が並ぶショッピングセンターに立ち寄った。今となってはすっかり見慣れた光景だが、右を見ても、左を見ても、麺や米の料理をおいしそうに食べる中国の人たちがいる。ある男性に話を聞くと、ザンビアに移り住んですでに9年だという。「今では本格的な中国料理も食べられる。ここでの生活は気に入っている」と話した。ある女性は、ザンビアでの生活が17年にもなるという。「アフリカの人々は友好的で、ここにはビジネスチャンスも多い」と笑った。

中国の経済発展によって世界の姿は大きく変わった。その中国の進出を受けながら、同じようにアフリカも発展して、さらに世界の姿を変えていくのか。中国のアフリカ進出の功罪をめぐる議論の答えはまだ出ていない。しかし、アフリカで中国の存在感が高まり続けていることは間違いない。

第6章　気候変動最前線

不公平な問題

アフリカが希望の大陸になるのか、絶望の大陸になるのか。その未来を決定的に左右しかねない深刻な課題がある。気候変動だ。

世界は地球の温暖化を食い止めるため、平均気温の上昇を産業革命以前に比べて1・5度以内に抑えることを目指している。しかし、アフリカはすでにさまざまな実害を受けている。干ばつや熱波といった極端な気象現象に加えて、海面の上昇や海水温の上昇が、アフリカの脆弱な国々を襲っている。

中でも、世界の科学者で作るＩＰＣＣ（気候変動に関する政府間パネル）が、影響が深刻な「ホットスポット」としているのが、サハラ砂漠南側のサヘル地域だ。ここでは、気候変動によって、食糧不足が深刻化し、新たな人道危機を招いている。そして、人々の暮らしが困窮する中、児童婚といった人権や保健に関わる問題や、過激派テロ組織の台頭という安全保障上の問題まで深刻化している。しかも、ＩＰＣＣは、今後も温暖化によって気温が上がるたびに、極端な気象現象はより頻繁に起こることになると警告している。

アフリカにとって、気候変動ほど不公平な問題がほかにあるだろうか。

グローバルな資本主義の発展によって、人類全体としてはより多くの豊かさを享受できるようになっているが、それは温室効果ガスの排出による地球環境の破壊をもたらしている。しかし、アフリカは世界で最少の温室効果ガス排出地域で、物質的な豊かさは先進国ほど享受していないのに、すでに気候変動の実害を最も深刻に受けているのだ。この現状について、国連のグテーレス事務総長は、２０１９年８月、「アフリカは、気候変動をもたらす最小限の原因しか作っていないのに、その壊滅的な結末がもたらす影響の最前線に立たされている」と表現した。

その「最前線」に向かった。

巻き上がる砂ぼこり

「運転のスピードを落としてくれ。前が見えなくなった」

２０１８年12月、サヘル地域の国のひとつブルキナファソ。首都ワガドゥグから車で３時間北に向かうと一帯は農村地帯だ。しかし、農村地帯だというのに、広がるのは砂漠の

ブルキナファソ北部の農村地帯。農村地帯というが大地は乾いていて、車で走れば砂ぼこりが巻き上がる。（ＮＨＫ／2018年11月）

ような乾いた大地で、前を走る車両が巻き上げる砂ぼこりで、我々の車のフロントガラスは視界が遮られてしまい、思わず、運転手にスピードを落とすように頼むほどだった。

車から降りると大地の乾燥ぶりはよりはっきりと分かった。風を受けて、砂のような細かい土の粒に覆われた大地には風紋が描かれていた。その土をつかむとからからに乾いて指の間からこぼれ落ちていく。周囲を見渡すと、あちらこちらで、川が流れていたかのように土地がえぐられている。中には背の高さまで深くえぐられている場所もある。さらに、立ち枯れした木も多い。

取材に同行してくれた国連のＷＦＰ（世界食糧計画）の職員に、「農村地帯に向かうという話だったと思うが」と話しかけると、「ここは10年ほど前までは、緑に覆われた農地だった」と教えてくれた。あまりにも変わり果てており、とても信じられない気持ちになった。

ブルキナファソの北部は、極端な気象現象の影響で砂漠化が急激に進んでいる。近年、かつてなかったような激しい集中豪雨が増えていて、洪水が多発するようになっている。川が流れていたかのように土地がえぐられているのは鉄砲水の仕業なのだ。

その洪水によって木や草が根こそぎ流されてしまう。立ち枯れした木はその残りだ。そうなった土地はこれまで以上に水分を保つことができなくなるため、雨が止めばすぐに乾いてしまう。乾いた土地は、もろく、次の洪水ではさらに削り取られることになる。こうした洪水と干ばつが繰り返されるうちに、豊かな土壌はどんどん押し流されてしまい、WFPでは、毎年、ブルキナファソ国土のおよそ2％にあたる50万ヘクタールの土地が砂漠化していると見ている。

気候変動の影響で広がる飢餓

乾いた大地の近くの村に暮らす、45歳の農家の女性、ラスマタ・サワドゴさんに話を聞

トウモロコシ農家のラスマタ・サワドゴさん。以前は家族が１年中食べられるだけの収穫があったが、砂漠化で収穫量が減り、今は年４か月も国連の食糧援助に頼っている。（ＮＨＫ／2018年11月）

いた。結婚を機にこの村に移ってきてから20年になる。毎年、畑でトウモロコシを栽培してきたが、砂漠化が進む中で収穫量は年々減っているという。以前は、１年を通じて家族が食べるだけの収穫があったが、最近は、途中で足りなくなり、この年も６月に食糧の蓄えが底をついてしまい、次の収穫が始まる10月までの４か月間は国連の食糧援助に頼らざるを得なくなった。「土地が干上がり、どんどん乾いている。農業ができる土地がどんどん少なくなっていて、恐ろしい気持ちになる」と話した。

極端な気象現象がもたらす食糧生産の落ち込みのしわよせを真っ先に受けるのは子どもたちだ。村の診療所には、栄養不良の疑いのある子

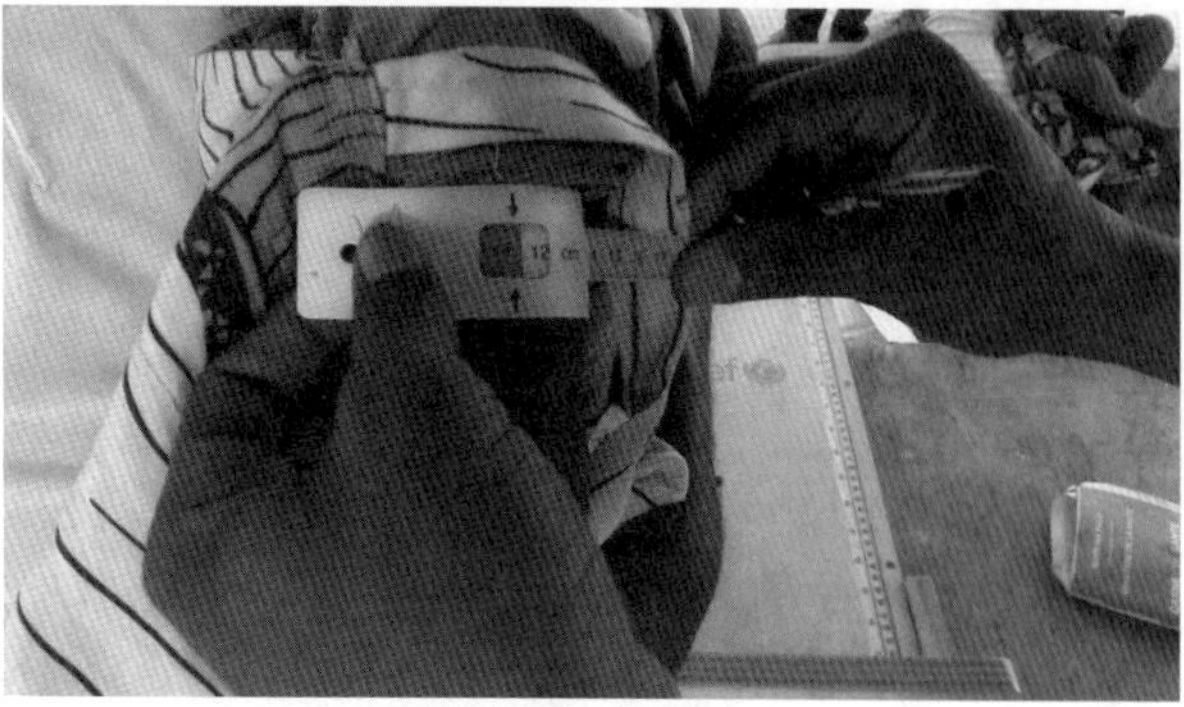
上腕部の太さを計ることで栄養状態を調べるが、生後９か月の男の子は深刻な栄養不良の目安とされる赤いラインを示していた。（ＮＨＫ／2018年11月）

どもたちが次々に訪れていた。ユニセフによると、ブルキナファソでは５歳未満の子ども50万人以上が深刻な栄養不良に陥っている。生後９か月の男の赤ちゃんは、体重が６・５キロほどで、腕の太さは直径３センチあまりしかなかった。国連の人道援助機関などは、途上国などで子どもの栄養状態を調べるための簡易な方法として上腕部の太さを測るメジャーを利用している。上腕部のまわりが12センチ前後だと「要注意」、11・５センチより細いと「重度の栄養不良」とされる。この赤ちゃんの腕の太さも、深刻な栄養不良の目安となる赤いラインを示していた。母親は、「栄養が十分取れていない自分の子どもを見ると悲しく、自分が何もできないことが辛《つら》い」と話した。

農地の破壊を食い止めようと、WFPでは、さまざまな対策を進めている。豪雨による水の流れを緩やかにするため、土地の浸食が進んだ場所の近くに石を敷き詰めたり、雨水をためるための人工の池を作ったりしている。また、農地に半月の形をした浅い穴を掘る事業も支援している。雨や洪水の時、土地の表面を流れる水を半月状の弧を描いた部分で受け止め、雨が止んだあとも雨水が一定の期間はそこにとどまることで、干ばつの影響を緩和することが期待されている。こうした事業には地元の農家が参加していて、「あっという間に水が押し寄せて、土壌を押し流していく。それをなんとかせき止めたい。できることはなんでもしたい」と話していた。

しかし、対策を進めるWFPも、現状では、土地が荒廃する速さに追いついていないと危機感を募らせていた。農村地帯での取材を終えて、首都ワガドゥグに戻り、WFPのブルキナファソ事務所のオーロー・ルシガ副所長に話を聞いた。インタビューで、「サハラ砂漠は北から南に向かってどんどん進んできている。より多くの対策を講じないと防ぐことはできない。気候変動に対してやるべきことはたくさんあり、すでに出遅れているといえる。このままでは気候変動との闘いに負けることになる」と話した。

気候変動の影響で失業

食糧生産への打撃に加えて、気候変動の影響によって職を失う人まで出てきている。

２０１９年９月、インド洋に浮かぶ、アフリカ東部タンザニアのザンジバル島に向かった。人口およそ１３０万、９割がイスラム教徒だ。美しい海岸で知られ、ヨーロッパなどから観光客がビーチリゾートを楽しむために大勢訪れている。しかし、夜明け前の早朝、まだ観光客が深い眠りについている時間、人気《ひとけ》のない海岸には村の女性たちが三々五々集まってきた。そして、5人から10人ほどのグループになると、女性たちは潮が引いた遠浅の海に歩いて入っていく。後ろを50メートルほどついていくと、女性たちが目指していた海藻の養殖場があった。

高さ30センチや1メートルほどの棒が並んで立っていて、水面の下では棒と棒の間にロープがまっすぐに張られている。そのロープには、海藻がくくりつけられている。ひとつの海藻の固まりの大きさは両手でちょうど持てるくらいだ。色は鮮やかな緑色で、インド洋の穏やかな海水に揺られながら育まれている。こうした海藻は、シャンプーや化粧品などの原料としてヨーロッパや中国などに輸出されている。

ある養殖場に、大きな声で冗談を言いながら、ほかの女性たちを鼓舞している女性がいた。「ちょっと、みんな、笑ってばかりいないで、少しはこっちを手伝ってよ。私だけが両手にこんなにたくさんの海藻を抱えているじゃない」と笑いながら文句を言っていた。45歳のシハバ・ムスタファさんは、20年近く、この仕事に携わってきた。笑顔を絶やさず、明るい性格だということはすぐに分かった。

大きく育った海藻の束を収穫する作業を数時間続け、シハバさんたちは海藻を村に持ち帰り始めた。海岸から海の方向をふり返ると、養殖場はかなり沖合のすでに深くなった水の中にあり、見えなくなっていた。ビーチリゾートを楽しむ外国人観光客の誰もが、ほんの数時間前まで、そこで女性たちが汗をかきながら生活の糧を稼いでいたとは想像もできないだろう。

ザンジバルの特に沿岸部では観光以外に目立った産業はなく、女性たちは畑仕事以外に働く場はほぼなかった。しかし、30年ほど前に海藻の養殖が導入されてからは、多くの女

タンザニアのザンジバル島で海藻を収穫するシハバ・ムスタファさん。30年ほど前に海藻養殖が導入され、今では２万人ほどの女性たちが海藻とりで現金収入を得ている。（ＮＨＫ／2019年９月）

性たちの暮らしが変わった。遠浅の海での作業は女性でも働きやすく、今では2万人の女性がこの仕事に携わっている。

シハバさんは、持ち帰った海藻を自宅で乾燥させ、すでに乾いた物を束ねる作業に忙しくしていた。その合間にインタビューすると、この仕事で月に100ドルほどの現金収入を得られるようになり、4人の子どもを全員高校まで通わせることができたと胸を張った。「海藻のおかげで、私の人生は大きく変わった」と話し、大きな笑顔を見せた。

しかし、この貴重な収入源が気候変動の影響で脅かされている。

各地の養殖場では、海藻がふやけ、白いカビのようなバクテリアがついて病気になり、死滅することが相次いでいる。政府機関の海洋環境専門家のイスラム・サルムさんの研究室を訪ねた。病気になった海藻の写真を見せてくれながら、「こうした病気は海水の温度が上昇しているせいだ。海が遠浅になる時、特に水温が上がりやすくなる。地球温暖化の影響による海水温の上昇が続けば、ザンジバルの海藻産業そのものが崩壊しかねない」と話して、強い危機感を示した。

実際、サルムさんの調査では、この5年でザンジバルの海藻の生産量は半分ほどに減ってしまい、生産額も日本円で1億円以上失ったということだ。鮮やかな色の海藻を収穫していたシハバさんも、最近はふやけてしまう海藻が目立つようになってきたと不安を口にしていた。

苦肉の策として始まっているのが養殖場の沖合への移動だ。沖合の深い海ならば、遠浅の海岸近くに比べて水温が低く、病気の被害を避けることができるからだ。ところが、このことが女性たちにとって壁になっている。沖合の深い海の養殖場に行くにはボートが必要で、そこでの収穫の仕事は男性たちが担っている。また、海に潜って海藻をロープから外さないといけないのだが、保守的な価値観が根づく島では女性が泳ぐことへの抵抗感が

海藻とりの仕事を失ったマウリド・ジェチャさん。海水温の上昇によって海藻に病気が広がってしまい、以前働いていた養殖場は閉鎖されてしまった。（ＮＨＫ／2019年９月）

強いのだという。

沖合の養殖場にボートで行くと、確かに水は深く、そして冷たかった。そこで潜りながら作業していた男性は、「女性は水が浅いところでしか仕事ができない。男性の自分たちなら、もっと沖合の深い場所でも働ける」と話した。

このため、多くの女性たちが海藻とりの仕事を諦めている。52歳のマウリド・ジェチャさんは、５年前に仕事を辞めた。ほかの働き口は見つからず、畑に働きに出ている夫の収入だけが頼りだ。「沖合の養殖場では水が首のあたりまで来るので、そこで働くのは危なくって、とても無理だ。前は自分で稼ぐことができていたのに、今の生活は厳しくなった」と嘆いた。以前働いていたのは、村にある自宅から歩いて10分ほどの海岸沿いの養殖場だ。海岸からその場所を指さしながら、ジェチャさんは「私の養殖場はあそこにあった。でも海の中に消えてしまった」と話して、悔しさと寂しさを混ぜたような表情になった。

人類は「飢餓との闘い」に勝てるのか

ブルキナファソのトウモロコシ農家のラスマタ・サワドゴさんにしても、ザンジバルの海藻とりの仕事を失ったマウリド・ジェチャさんにしても、生活は質素で、自動車を乗り回しているわけでも、たくさんの電気製品に囲まれているわけでもない。先進国の人に比べて温室効果ガス排出量は圧倒的に少ないのに、気候変動の影響が押し寄せ、暮らしが破壊されている。気候変動が不公平な問題だというのはこういうことだ。

国連は、飢餓、つまり、健康な生活を送るために必要な食料を得られない状態の人の数を調べ続けている。それによると、世界の飢餓人口はかつて10億以上と見られていたが、その後は順調に減り続けていた。国連の2019年の報告書によると、飢餓人口は2000年代半ばには9億5000万人近くだったのが、7億8000万人あまりまで減っていた。背景には、中国やインドなどの新興国での経済成長や、農業生産の拡大、それに国際的な支援がある。このまま順調に減少していけば、２０３０年までに世界から飢餓は一掃できるのではないかという期待も出ていたほどだ。

ところが、２０１５年以降は増加に転じていて、今では、８億２０００万人を超えてしまった。この増加をもたらす原因のひとつが気候変動で、国連は、気候変動を「甚大な挑戦」と位置づけている。

飢餓の状況は、地域別にはサハラ砂漠以南のアフリカが最も深刻で、５人に１人が十分な栄養が得られていない。人類は、「飢餓との闘い」に少しずつ勝利を収めてきたはずだった。しかし、アフリカでの気候変動の影響を食い止めることができなければ、その闘いに負けてしまうことになる。

第7章　海面上昇に翻弄される「優等生」

変わるアフリカを象徴する国

ヨーロッパの列強の植民地支配に翻弄されてきたアフリカだが、この中でも、オランダ、フランス、イギリスと三つの国に代わる代わる植民地にされた国がある。植民地主義者たちは、その国を当時貴重品だった砂糖の生産拠点とするため、全土でサトウキビを栽培させ、モノカルチャー経済に落とし込んだ。

アフリカ大陸の東、インド洋の島国モーリシャスのことだ。これだけを聞けば、この国は独立後もさぞかし政情が不安定で、経済も低迷しているのでは、と思うのではないだろうか。しかし、実際には、モーリシャスは、「アフリカの優等生」とされ、前進するアフリカを象徴する国のひとつと見なされている。

面積は東京都とほぼ同じおよそ２０４０平方キロメートルで、人口は１２７万。１９６８年の独立以降、政権は選挙を経て平和的に交代していて、民主主義が定着している。また、経済も順調に成長し、国民１人あたりの総所得は１万１０００ドルを超えていて、アフリカ各国の中でもトップクラスだ。国民のおよそ70％が植民地時代にサトウキビ農園で働くために移り住んだインド系だが、アフリカ系やヨーロッパ系、中国系の国民とも共存している。

そんなモーリシャスは実に美しい国でもある。真っ白な砂浜や珊瑚礁《さんごしょう》など、豊かな自然に恵まれ、「神はまずモーリシャスを作り、それを真似て天国を作った」といわれるほどだ。世界中の観光客を魅了し、ヨーロッパなどから年間130万人以上が訪れるリゾート地になっている。政府も、砂糖生産のモノカルチャーから抜け出すために、観光産業を積極的に育成し、今では観光収入がGDPのおよそ10%を占め、主要産業のひとつになっている。

しかし、この「優等生」であっても逃れられない脅威がある。気候変動だ。

気候変動の影響は、サハラ砂漠南側のサヘル地域では飢餓や貧困を広げ、タンザニアのザンジバル島では女性たちから海藻とりの仕事を奪うなどアフリカに実害を与えているが、モーリシャスでは気候変動が原因と見られる海面の上昇によって、経済成長の柱のひとつである観光産業が打撃を受けている。

削られるビーチ

２０１９年11月、モーリシャスを取材で訪れた。私が駐在する南アフリカのヨハネスブルクから飛行機で４時間の距離だ。

海面の上昇による影響は、すでに目に見える形で各地に現れている。

島の北部にある高級リゾートホテルでは、売りはなんといっても真っ白な砂浜なのだが、海面の上昇によって浸食が進み、その面積は縮小し続けている。ホテルマネージャーのミッシェル・ダルティィドグランプレさんはフランス系で、祖先がフランスの植民地時代にモーリシャスに移り住んで５代目になるという男性だ。広大なリゾートホテルの敷地の中をカートで案内してくれ、観光客が日光浴をしているビーチを見せてもらったが、確かに狭い印象を受けた。

そこで１枚の写真を見せてもらった。１９８０年頃に撮影されたというビーチの写真では砂浜は幅30メートルほどの広さがあった。しかし、今では半分以下の幅しかない。海側に足を出して寝そべっている観光客の足のすぐ近くまで波が来ているような幅しかないと

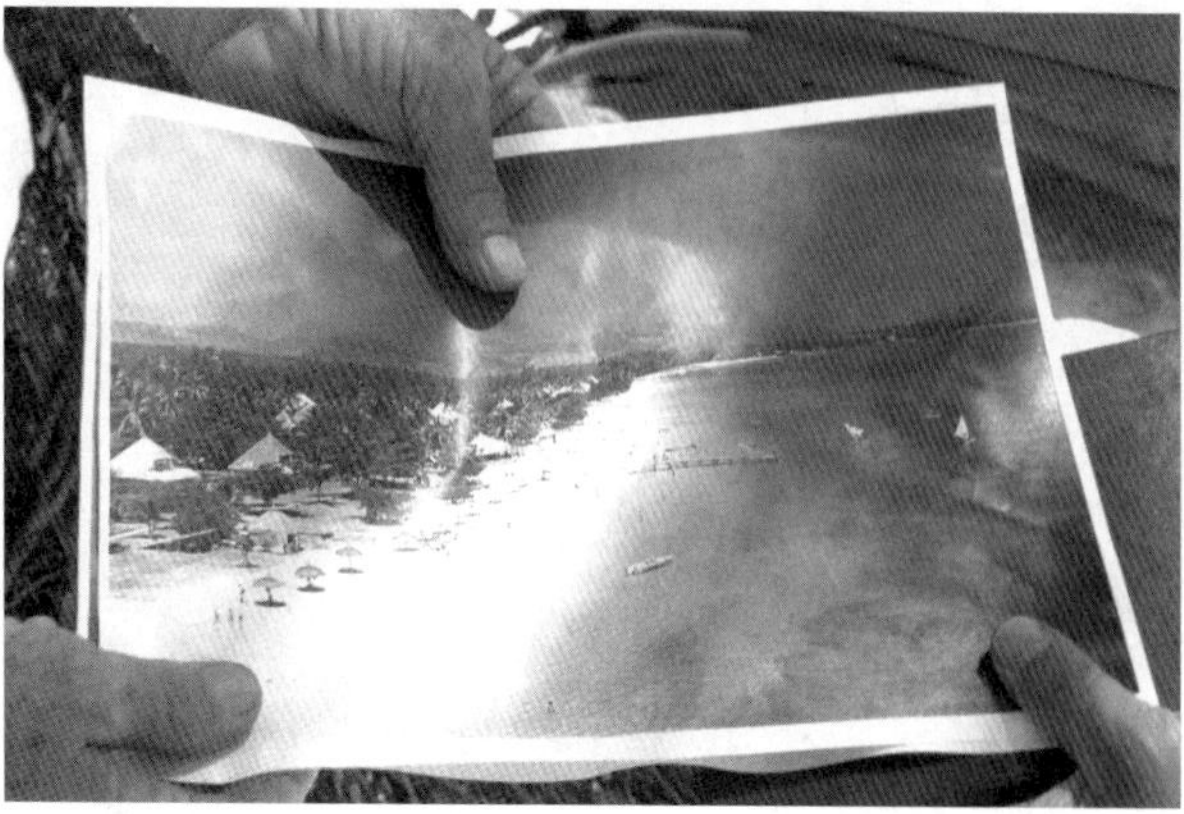

モーリシャスの北部にある高級リゾートホテルで40年ほど前に撮影されたビーチの写真。当時の砂浜は30メートルほどの幅があったという。（ＮＨＫ／2019年11月）

砂浜は今では半分以下の幅になってしまった。日光浴を楽しんでいる外国人観光客もどことなく窮屈そうだ。（ＮＨＫ／2019年11月）

ころもあった。

ダルティドグランプレさんは、「窮屈そうにしながら日光浴している人もいるでしょう」と話した上で、「浸食が急速に進んでいて、この5年ほどでどんどん砂浜の幅が狭くなってきた。このままビーチがなくなれば、観光客は来なくなってしまう。とても心配している」と窮状を訴えた。

観光客の間ではボートに乗って沖合の島々をめぐるツアーも人気だが、そこにも影響が出ている。長年、船で観光客を案内しているガイドの女性のビルジニー・オランジュさんが船で南部の湾に連れていってくれたが、湾内の一部では水が深くなっている場所が目立つようになってきたという。「以前ならば、潮が引いている間は、小島と小島の間を腰まで水につかりながら歩いて渡れた場所もあったが、そういう場所でも砂が流されてしまい、今では深さが2メートルほどになって歩けなくなってしまった」と話した。

ビーチにあがると、黒い岩や多くの木の根がむき出しになっていた。「少し前までは岩は見えなかった。完全に砂に覆われていて真っ白な砂浜だった。また、木の根にしてもすべて砂の下にあり見えなかった。しかし、砂浜が波によって削り取られたから、岩も木の

モーリシャス南部の海岸では、砂浜が削られ、砂の下にあって見えなかった木の根がむき出しに。地元のガイドは、「根がむき出しになった木は、枯れてしまう」と話した。(ＮＨＫ／2019年11月)

根も見えるようになっている。根がむき出しになった木はどんどん枯れて倒れてしまう」と話した。その上で、「私はモーリシャスで生まれ育ち、この島のビーチを愛している。それがどんどん浸食されていて、心を痛めている。しかも、浸食のスピードは驚くほど速い」と危機感を訴えた。

気候変動による干ばつと豪雨に見舞われているサヘル地域のブルキナファソの農村でも、農地が雨に流されて根がむき出しになり立ち枯れしていた木がたくさんあったが、熱帯の島のビーチでも同じようなことが起きているのだった。

地元のジャーナリストによると、浸食され縮小した砂浜に来たヨーロッパの観光客の中には、事前に宣伝用のパンフレットなどで見ていた写真と違うとクレームを言う人もいて、イメージダウンが懸念されるということだった。モーリシャス政府は、海面の上昇による観光産業への損失は今後、日本円で年間50億円にも上る恐れがあると試算している。

「対症療法に過ぎない」

モーリシャスでは政府と観光産業は危機感を強めていて、さまざまな対策に乗り出している。

島の北部の海岸には大量の砂が運び込まれていた。国連の支援も受けた事業だが、ビーチの浸食を防ぐために大量の砂を積み上げる工事が行われていた。また、別の高級リゾートホテルでは、ビーチの沖合に石を積み上げて防波堤が設置されていた。押し寄せる波の力を少しでも弱めることで、海岸から砂が削り取られるのを減らそうという取り組みだ。

しかし、地元の環境保護団体はこうした取り組みには限界があると批判的だ。ある団体の代表ヤン・フークームシングさんは、「根本的な解決策になるわけがない。いくら砂を足しても、また海に流されるだけで対症療法に過ぎない」と指摘した。フークームシングさんは自分たちの団体を「海岸を盗むな」と名付けている。

「そもそもビーチを売りにした観光業界が、無秩序に海岸沿いにリゾートホテルを建設しまくっている結果、各地の海岸が傷つけられている。本来はモーリシャスの国民のものである海岸が一部の業者に私物化されている」と批判した。経済開発と自然保護のバランスをどう取るのか、経済成長とともにモーリシャスもこの課題に直面している。

温室効果ガスの排出を減らしたい

こうした中で、海面上昇の原因となっている地球温暖化そのものを食い止めるため、たとえわずかであっても温室効果ガスの排出を減らすことができないか、現地では新たな取り組みが始まっている。

目をつけたのは地元の特産品となっているサトウキビだ。植民地時代の名残から、今もモーリシャスのいたるところにサトウキビの広大な畑が広がっている。

島の南部にある砂糖の生産工場を訪れた。大型トラックによって収穫されたばかりの大量のサトウキビが運び込まれていた。サトウキビは次々に巨大な機械で細かく砕かれ、汁

砂糖工場に運び込まれるサトウキビ。汁を絞り取られたサトウキビは発電のための燃料として利用されている。（ＮＨＫ／2019年11月）

が搾り取られる。工場には甘い香りが漂っている。汁を搾り取られたあとのサトウキビは「バガス」と呼ばれるが、工場では、このバガスを燃やして発電の燃料にしている。化石燃料を使うのに比べて、二酸化炭素の排出量を大幅に減らすことができるという。今では、国内で四つの会社がこの取り組みに参加して、バガスによる発電は国全体の電力需要のおよそ20％を満たすまでになっている。工場ではさらにサトウキビを原料にバイオエタノールを製造する取り組みも進めている。

こうした取り組みで減らすことができる温室効果ガスの量は、もちろん、地球全体から見ればわずかだ。そもそも、歴史的に見ても、大量の温室効果ガスを排出してきた先進国と異なり、モーリシャスをはじめアフリカが気候変動の原因となってきたわけではない。それでも、工場の環境問題担当者のラジブ・ラムルゴンさんは、「数世紀にわたり、この島で栽培されてきたサトウキビを有効に活用できないかと考えた。もちろん、自分たちの努力が小さな貢献でしかないことは分かっている。しかし、ほんのわずかの削減であっても、国の未来のために今できることをやるしかない。あらゆる可能性を追求して温室効果ガスの排出を減らし、気候変動の影響と闘っていきたい」と話した。

アフリカの前進が阻まれるのか

モーリシャスについては、2020年8月、日本でも広く報道されることになった。日本の貨物船が沖合で座礁し、積んでいた原油が大量に流出して、南東部の海岸やマングローブの林が深刻な汚染被害を受けた。国民の多くが汚染に立ち向かおうとボランティアとして懸命に重油の除去作業にあたった姿も伝えられた。

その美しい砂浜と自然を守ることは、環境保護とともに国の経済成長にも貢献している。ヨーロッパの三つの国の植民地支配とモノカルチャー経済を乗り越えて、民主主義を定着させながら、開放的な経済と産業の多角化で経済成長を実現させているモーリシャス。アフリカの未来のひとつの理想のようにも見られているが、この国が直面している課題はアフリカの先行きが明るいだけではないことも示している。

世界を覆う資本主義システムの最終ランナーとして疾走を始めようとしているアフリカを、そのシステムの最大のツケともいえる気候変動が阻みかねない。

第8章　幼すぎる結婚

出生率世界一の国

1人の女性が生涯に生む子どもの数の平均、つまり合計特殊出生率は国によって大きく異なる。国連の世界人口推計2019年版では、日本は1・4、韓国は1・1、アメリカは1・8だ。こうした中で、世界で最も出生率が高い国はどこかと言えば、西アフリカのサヘル地域の国のひとつニジェールで、この国の出生率は7・0だ。

2019年6月、ニジェールの首都ニアメーを訪ねると、アフリカで起きているさまざまな変化が凝縮されているように見えた。爆発的に増える人口を映し出すように、市の中心部は人であふれかえっていた。全体的に若く、多くの子どもを引き連れた母親が多い。「1人、2人、3人、4人、5人……」。母親と思われる若い女性たちが連れている子どもの数を数えると、5人はざらだ。両手に手をつないだ子どもが1人ずついて、1人を背負い、そのまわりを少し大きくなった2、3人の子どもが一緒に歩いている。

市場では、人々はどんどん買い物している。子どもが多いのだから当たり前だが、肉や野菜もまとめ買いだ。そんな旺盛な消費に支えられて、ニジェールでは、これまで見られ

ニジェールの出生率は7.0。当然、それ以上の子どもを持つ家族もいる。（写真提供：ユニフォトプレス）

なかったような経済成長も起きている。世界銀行の統計では２０１８年でも７％あまり、２０１２年にいたっては10％以上も成長していた。

ニアメーのあちらこちらでは、大型ビルの工事が進んでいた。ここにも積極的に進出する中国の存在があった。中国企業がビルの建設などを請け負っていて、中国人も大勢押し寄せている。ニアメーには、中国資本のホテルがあり、客室の作りはもちろん、内装も中国のホテルとそっくりだった。フロントの従業員も中国人だ。ホテルのレストランでは、かつての宗主国フランスの料理のフランス語メニューに加えて、中国料理の中国語メニューもあり、客はどちらのメニューからも自由に選べる。朝食にしてもフランスパンもあるが、中国の定番のおかゆもあった。

経済成長の陰で広がる児童婚

しかし、華やかな経済成長の陰で、深刻な広がりを見せている問題がある。まだ子どもなのに結婚させられる「児童婚」だ。国連では18歳未満の結婚と定義している。

ニアメーで話を聞いた女性たちの多くが「子どもはたくさん欲しい」と答えた。確かに、ニジェールなどのアフリカの一部の国では、女性は若くして結婚して、早くから子どもを産むのがよいとされる風潮がある。子どもが多いほど農作業の労働力が確保でき、年老いてからも面倒を見てもらえるという考えが根強いこともあるという。しかし、必ずしも、すべての女性が本心からそう望んでいるわけではない。

ニアメーの中流家庭のアイシャ・ブバカールさん（40歳）はそうした女性の本音を語ってくれた。ブバカールさんが家庭を持つにいたった経緯はニジェールの女性ではごく一般的だ。15歳の時に結婚して、子どもは4人。その経緯について、「親から、『夫を用意したから結婚しろ』と言われた。それだけだ」と話した。インタビューで「自身の選択はあったのか?」と聞いたら、「選択? 自分の選択なんて全くなかった。私の考えは何ひとつ考慮されなかった」とした上で、「本当はもっと学校に行きたかった」と話した。インタビューを横で聞いていた、次女のラシーダさんは、ちょうど15歳。母親が結婚したのと同じ年齢だ。ラシーダさんは、「15歳で結婚するなんて、早すぎる。時代は変わった。私は大学まで出て、それから結婚したい」と話した。

しかし、児童婚を支えているのが、古い慣習や考え方だけならば、時の経過とともになくなっていくはずだ。ブバカールさんの次女のラシーダさんにしても、母親とは違う道を選びたいとしている。それにもかかわらず、国全体で見れば、児童婚はなくなるどころか増えているのが現状だ。

背景にあるのが、経済成長の一方で広がる格差だ。一部の者が豊かさを手に入れているものの、依然、多くの国民は貧困にあえいでいる。この国も気候変動の「ホットスポット」とされるサヘル地域にあり、深刻な実害が出ている。その影響もあって、ニジェールは世界で最も貧しい国のひとつであり、UNDP(国連開発計画)が、各国の保健や教育、所得の状況から分析した人間開発指数の2019年の報告では189か国中189位と最下位に位置づけられている。

こうした中で、貧困層を中心に経済的な理由から娘を結婚させることが増えている。いわば、「口減らし」のための児童婚だ。UNFPA（国連人口基金）によると、ニジェールでは、20歳から24歳の女性のうち、18歳前に結婚した女性は76％になる。これは世界で最も高い割合だ。

世界で最も出生率が高い国は、同時に、世界で最も児童婚が深刻な国でもあるのだ。

児童婚の少女を襲う病

幼すぎる結婚や出産は女性から教育の機会を奪うだけではなく、少女たちの体にも深刻な負担を強いることがある。「フィスチュラ（産科瘻孔《ろうこう》）」という病気だ。

これは、数日にもわたる難産で胎児が産道を圧迫することで産道の一部が壊死《えし》して穴が開き、隣にある膀胱《ぼうこう》や直腸とつながってしまう病気だ。穴があるために、膣《ちつ》から尿や便が漏れるようになってしまう。少女たちは成長の途中で、まだ体が小さく難産になりがちな

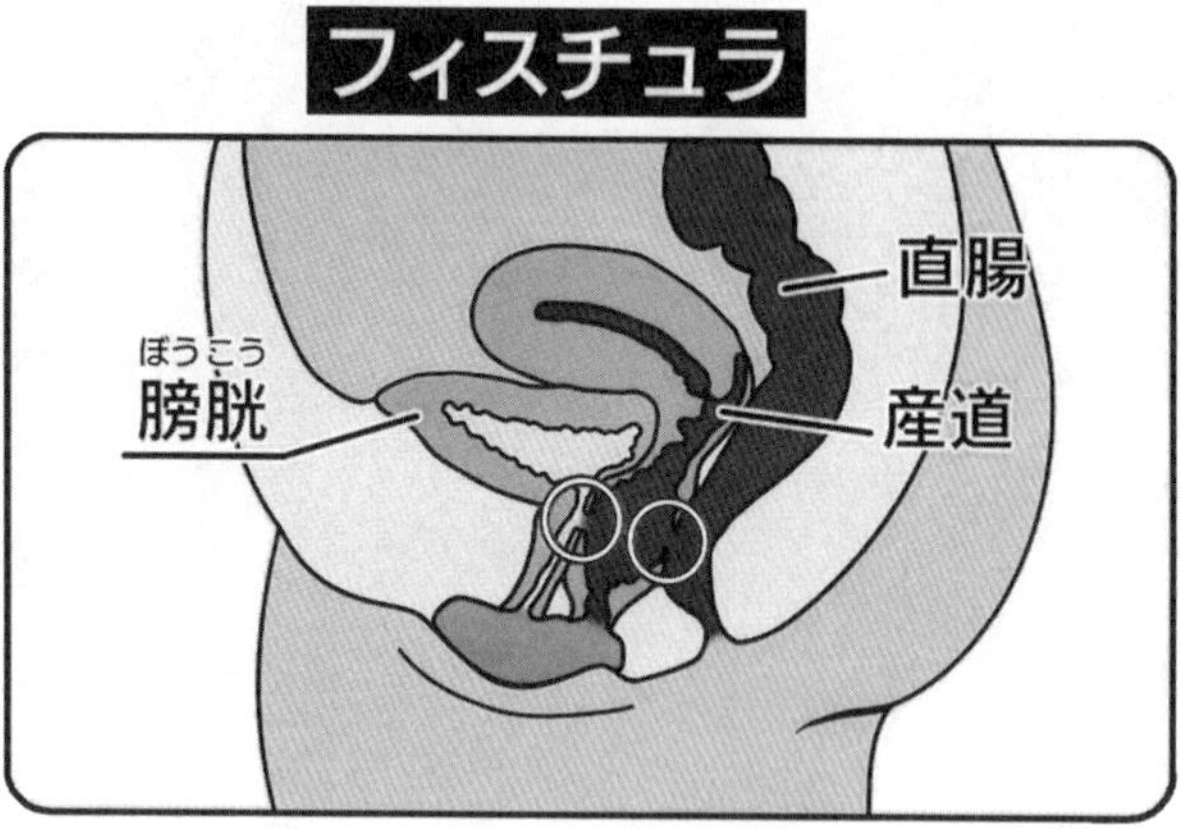

フィスチュラの概念図（ＮＨＫ）

フィスチュラの治療をする病院にて。患者たちはプラスチックの袋を使っている。（ＮＨＫ／2019年６月）

ため、この病気になるリスクが高まるという。

日本のように医療が整っていて、帝王切開ができる先進国ではすでになくなった病気だ。私自身も知らず、妻をはじめ、何人かの日本の女性に聞いてみたが誰も知らなかった。しかし、アフリカでは依然として深刻な病気で、UNFPAによると、ニジェールでも毎年新たに700人以上がこの病気になっていると推定されている。

ニアメーにあるフィスチュラの手術と治療をしている病院を訪ねた。多くの患者たちがプラスチックの袋を抱えながら過ごしていた。膣に管を入れ、流れ出てしまう尿をためているのだった。病気についての理解を広めるためならばと、25歳のビンタ・ウァンヘールさんが取材に応じてくれた。

15歳で結婚させられ、すぐに妊娠したが、難産の末、結果は死産だった。この時フィスチュラになった。インタビューで、ウァンヘールさんは「この病気でとにかく辛いのが、失禁してしまうことだ」と話した。話しているうちに、彼女のほおを涙が伝って落ちた。児童婚の結果、体が傷つけられただけではなく、フィスチュラに伴う恥辱によって心も傷つけられているのだ。

フィスチュラの治療を受けているビンタ・ウァンヘールさん。15歳で結婚させられた。「この病気についての理解を広げてほしい」と訴えた。（ＮＨＫ／2019年６月）

社会的にも排除される患者たち

こうした患者の苦痛は、家族や地域から排除されるという社会的な問題によっていっそう深刻になっている。手術すれば治る病気であるにもかかわらず、完治するまでに何度も手術を受けなければならないことも多く、その間に夫から離婚を言い渡されたり、地域から排除されたりするケースが多い。ウァンヘールさんもフィスチュラになったあと、夫から一方的に離婚されたということだった。

病院の医師イドリサ・アブドレイさんは、「失禁に伴う異臭の問題によって、患者は周囲の差別に遭いがちだ。本人自身が嫌がって、家から出ずに殻に閉じこもってしまう。心を病んで自殺する女性だっている」と話した。

取材中、ウァンヘールさんにインタビューをする前、病棟の中庭で椅子を並べるなど話を聞くための準備をしていた時のことだ。周囲には、洗濯された布が干されていた。患者たちが巻いているものなのだが、確かに尿のにおいが漂っていた。ウァンヘールさんは、すぐに飛んできて、そうした布を片っ端から取り入れていった。そして、気まずそうに、申し訳なさそうな顔をした。何ひとつ落ち度がないウァンヘールさんが申し訳なさそうにする必要は全くないのに、そうさせてしまうのは病気のことをきちんと理解できていない社会の側の問題だ。

児童婚の撲滅に向けて

こうした児童婚を撲滅するための鍵を握るのが、少女たちの経済的な自立だ。

ニアメーにある洋裁学校には、UNFPAから学費を全額支援された少女たちが通っている。職業訓練を受けさせてお金を稼げるようにすることで、貧困を背景とした児童婚を

洋裁学校に通うマリアム・ヤクーバさん。「まずはしっかり学んで自立したい。結婚はそれからだ」と話す。（ＮＨＫ／2019年６月）

なくすことを目指しているのだ。その効果は明らかだ。生徒のひとり、19歳のマリアム・ヤクーバさんは、以前は、親から早く結婚するよう迫られていた。しかし、学校に通うことで結婚以外の選択肢が見えてきたという。

ヤクーバさんは、インタビューで、「親の言うことも分からないわけではない。確かに、何も稼いでいないのだったら、『ふらふらしていないで、さっさと結婚しろ』と言われると、それもそうかなと思ったりした。しかし、この洋裁学校に来て考え方が変わった。今は手に職をつけて、自分の店を持ちたい。そこで、以前の自分のように結婚するしかないと思っている若い子を雇ってあげたい」と話した。

結婚についての考えを聞くと、「結婚？　どうするかって？　もちろん、いつかはするつもりだ。しかし、まずは自立。自立が先だ」ときっぱりと言い切った。

ＵＮＦＰＡでは、児童婚を撲滅するには、少女たちを1年でも長く学校に通わせることが重要だ、と強調する。実際、76％と世界でも最も児童婚の割合の高いニジェールだが、中学校以上の教育を受けた女性に限れば、その割合は17％にまで低下するという統計もある。ＵＮＦＰＡニジェール事務所のザレハ・アスマナさんは、「ニジェールにおける児童婚の問題とは、つまるところお金、つまり、貧困の問題だ。女性たちに機会を与えることがきわめて重要だ」と話した。

アフリカの未来を見据えて

気候変動に翻弄され、世界最貧国のひとつであるニジェールは大きな岐路に立っているように感じた。

多くの若者が貧困と失業にあえぎ、一部の者だけが富むような国になっていくのか。それとも、どの若者もしっかりと教育や医療を受けられて、国全体が発展していくのか。洋裁学校に通うようになり、「自立したい」と言い切るマリアム・ヤクーバさんのような若者が生き生きと活躍できる国にするために、ニジェール政府の責任は重い。

また、問題はニジェールだけにとどまらない。児童婚はニジェールだけではなくアフリカのほかの多くの国でも横行していて、サハラ砂漠以南のアフリカではあわせて100万人と推定される女性たちがフィスチュラに苦しんでいる。希望のアフリカになるのか、絶望のアフリカになるのかは、何よりもアフリカ各国の取り組み次第だ。それとともに、国際社会にとっても、人類共通の課題であり、どのように関与して協力できるかが問われている。

第9章　黄金とテロ

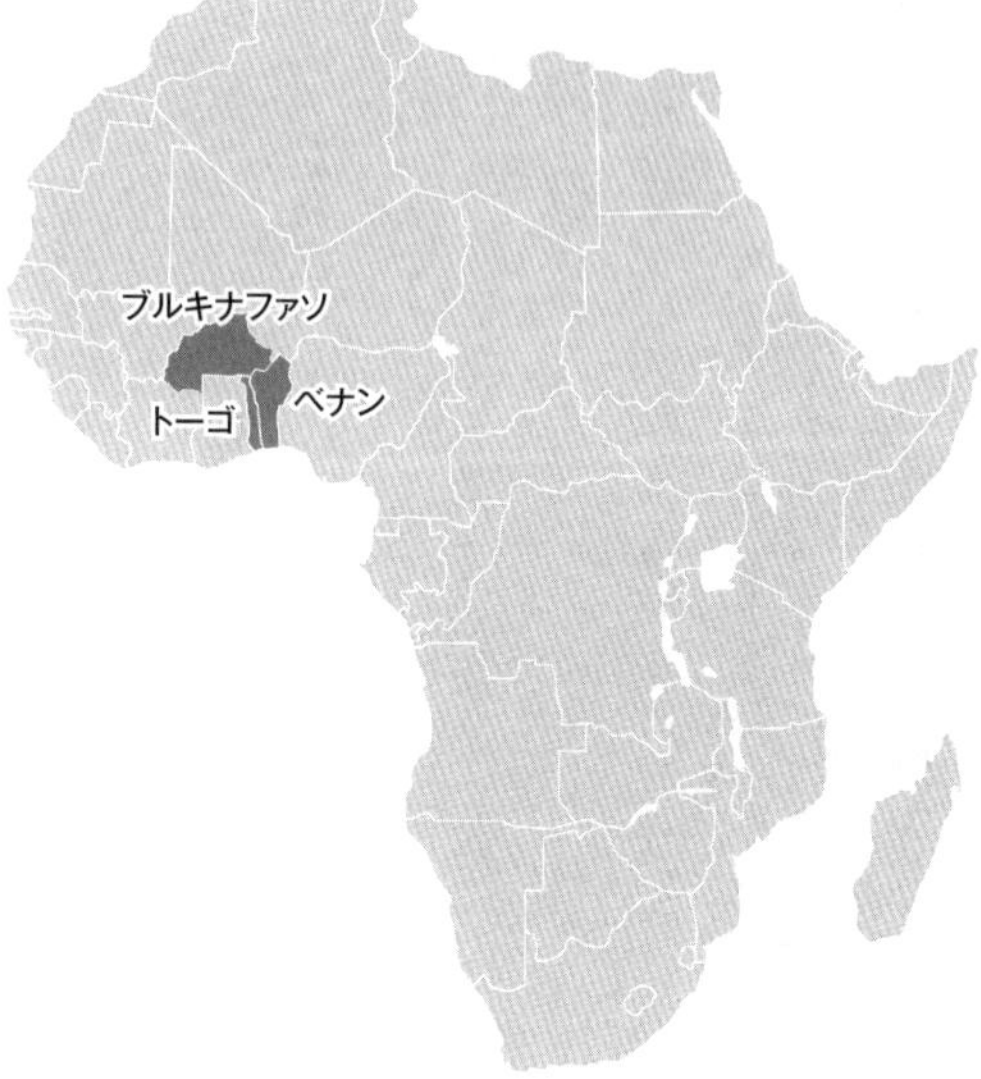

台頭する過激派組織

「最近、やけに増えているな」

ニジェールで政府軍の基地が襲撃されて、兵士89人が死亡。

ブルキナファソの教会でテロ、市民24人が死亡。

南アフリカのヨハネスブルクに特派員として駐在し、アフリカ大陸の国々を取材することになれば、テロや襲撃事件について原稿を書くことは珍しいことではなくなる。それでも、２０１９年の後半以降、西アフリカのニジェールやマリ、ブルキナファソといったサハラ砂漠南側サヘル地域の国々での治安悪化は特に目立っている。攻撃をしているのは、ＩＳなどの過激派組織だ。

ＩＳは、中東のイラクやシリアでは、事実上の支配地域を失い、指導者もアメリカ軍に殺害されて組織の弱体化が指摘されている。その一方で、２０１５年以降、サヘル地域では別の組織を立ち上げていて、その勢いが増しているのだ。

国連の調べでは、サヘル地域のいくつかの国で、ＩＳなど過激派のテロや攻撃で犠牲に

アメリカ軍主導で行われたイスラム過激派を想定した軍事演習。西アフリカの国々など30か国が参加して行われた。（ＮＨＫ／2020年２月）

なった人は、２０１６年にはあわせて７７０人だったが、２０１９年にはあわせて４０００人を超えた。３年で５倍だ。また、この地域で１００万人を超える人が難民や国内避難民になっていて、人道危機も起きている。

中東を中心に「テロとの闘い」を繰り広げてきたアメリカ軍もサヘル地域の情勢の悪化を懸念している。２０２０年２月、セネガルなどで30か国が参加する軍事演習がアメリカ軍主導で行われ、過激派の拠点を襲撃したり、戦闘員を拘束したりするための訓練が行われた。アメリカ軍の幹部は、「過激派の攻撃はますます組織化されていて、深刻な事態になっている。警戒を続ける必要がある」として危機感を示した。

背景には「資金源」あり

「またか。今度は金《きん》か」

過激派の台頭の背景を調べ始めると、サヘル地域にある金資源を違法に採掘して、資金源にしているのではないかという話が出てきた。

記憶は、一気に20年ほど前の２０００年に呼び戻された。まだ30歳で駆け出しの国際記者だった頃、私は西アフリカのシエラレオネにいた。内戦が続く中、反政府勢力がダイヤモンドを違法に採掘しては武器を購入し、戦闘員を勧誘するための資金源にしている「血塗られたダイヤモンド」問題を取材していた。反政府勢力はダイヤモンド鉱山を支配し、住民たちを酷使してダイヤモンドを採掘させては隣国経由で国際市場に売りさばいていた。

さらに、２０１４年にはＩＳがイラク北部に攻め入り、その後、一方的に「国家」を名乗った。当時はドバイに駐在していて、ドバイからイラク北部のモスル近郊に飛んでいった。ＩＳは、イラク北部のほか、支配地域を広げたシリアでも油田を押さえて資金源にしていた。トルコ南部でＩＳの元戦闘員たちを見つけ出しては、その密売の実態についてインタビューを繰り返したが、「宗教のための国を作るとか言っているが、実態は密輸集団じゃないか」と感じたことも鮮明に覚えている。

「今回も背後には資金源があるのではないか」

サヘル地域でのＩＳによる金の違法な採掘や流通について取材するための準備に取りかかった。狙いは、ＩＳのテロや攻撃が特に激しさを増しているブルキナファソに定めた。気候変動で砂漠化が進んでいる問題の取材で以前訪れていたため、少しは土地勘があることも判断材料になった。ビザの取得や地元の協力者探しなどひとつひとつの作業を進めた。

ゴールドラッシュに沸く

２０２０年１月、支局のある南アフリカから飛行機を乗り継ぎ、20時間近くかけてブルキナファソに到着した。アフリカは本当に広大な大陸だ。飛行機が首都ワガドゥグの空港に着陸し、扉が開いてタラップを降り始めると熱風が吹き付けた。サハラ砂漠の近くに来ていることを実感する。

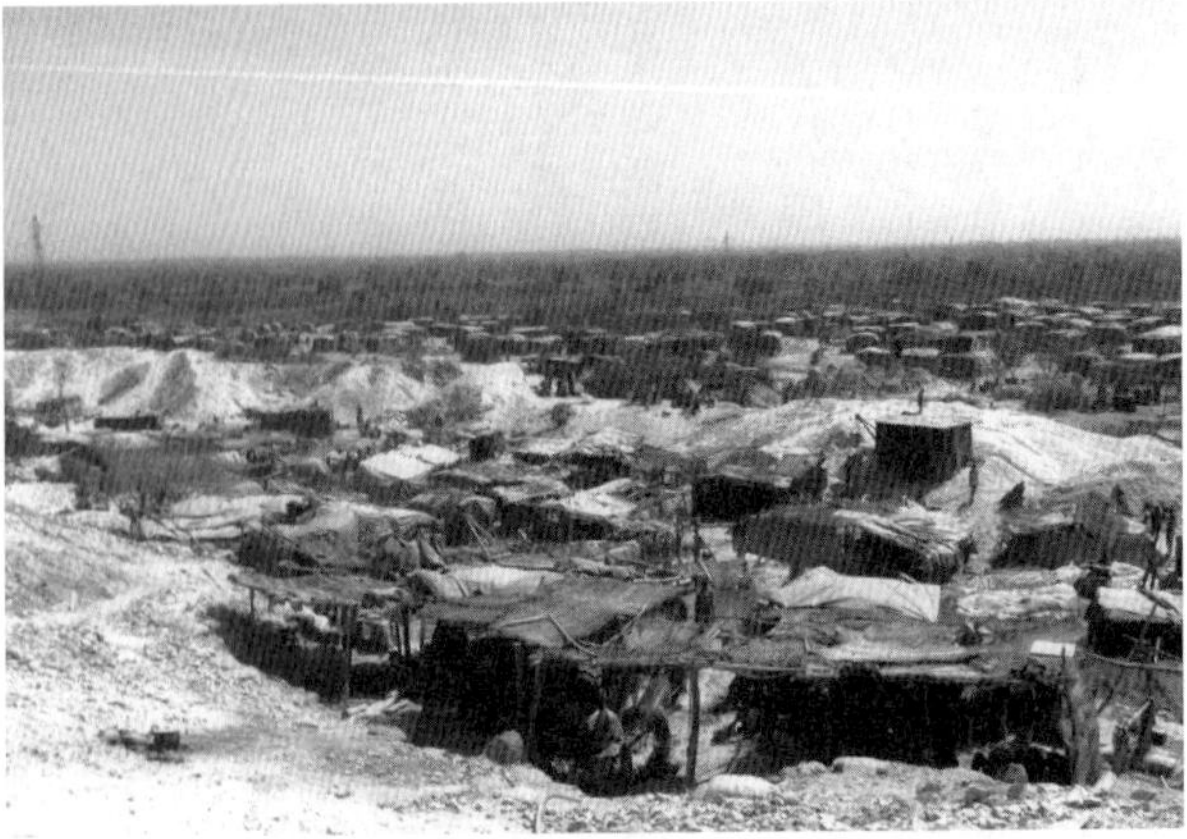

ブルキナファソ北部の農村地帯にある手掘りの金採掘場。大勢の男たちが地中深くまで穴を掘っては、金が含まれる岩石を掘り出している。（ＮＨＫ／2020年１月）

ワガドゥグで取材に協力してもらう地元のジャーナリストと落ち合い、車で北に2時間の農村地帯に移動した。以前も取材したように、農村地帯といいながら、ここでも気候変動の影響で乾いた大地が広がっている。そこで地元の案内人とともに村の奥まで進んでいくと、突然、高さ5メートルはある、白い土の山がいくつか現れた。その白い土の山と山の間をさらに歩いていくと、目の前には、それまでとは異質な光景が広がっていた。手掘りの金採掘場だ。

何百人もの男たちがひしめき合い、あちらこちらに深い穴を掘っている。採掘

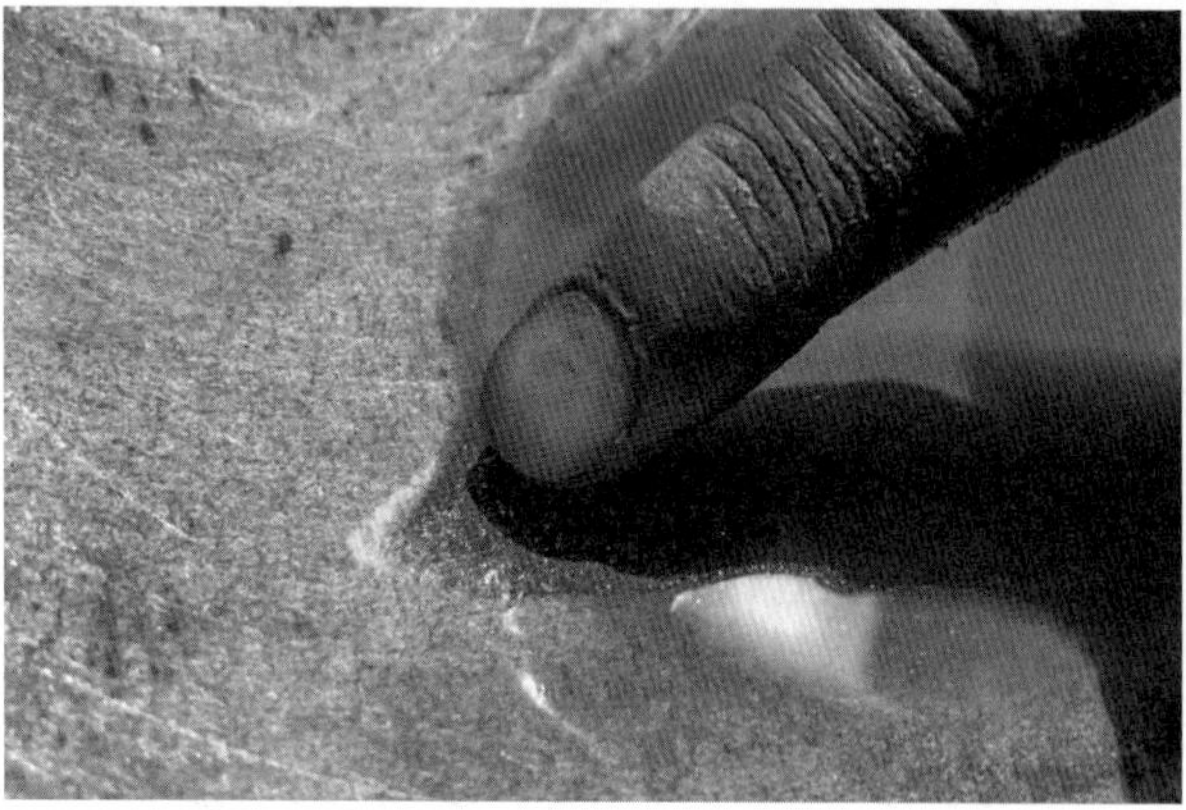

採掘場では岩石を細かく砕き、そこから砂金を取り出している。強い日差しに照らされ、光り輝いていた。（ＮＨＫ／2020年１月）

場には白い土ぼこりが立ちこめていて、みんな顔も体も、白い粉のような砂に覆われている。男たちは滑車を使ってロープで仲間を穴の中に下ろしていき、地下から岩石を運び出している。機械で滑車を回してロープを下ろしている穴もあるが、ほとんどの穴では人の力で作業が行われている。それらの穴は２００メートルもの深さになるという。

地下から運び出された岩石は、細かくされ、砂のようにされる。作業員がそれらを水ですすぎ、皿の中で水と一緒に揺らしているのを見せてもらうと、皿の底にはきらきらと光るものが見えた。砂金だ。わずかな量だが、照りつける太陽の光を受けて、黄金色の強い輝きを放っていた。

ブルキナファソは時ならぬゴールドラッシュに沸いている。数年前から新たな金の鉱脈が次々に見つかり、手掘りの採掘場が各地にできていて、政府によると、あわせて800か所になるという。穴が崩落するなど事故も多い劣悪な労働環境で、児童労働も横行している。それでも、気候変動の影響もあって農業が立ちゆかなくなる人が相次ぐ中、貴重な現金収入のチャンスだとして各地の採掘場には人々が押し寄せている。手掘りの採掘場で働く人は全土で100万人とも150万人ともいわれている。

黄金に伸びる過激派の魔の手

しかし、この黄金にISの魔の手が伸びている。

2019年11月、東部の町で、カナダ資本の大規模鉱山の労働者を乗せた車列が移動中に武装グループの襲撃を受け、少なくとも39人が死亡した。ISが金鉱山を奪おうとする動きの一環ではないかと見られている。

取材を進めていると、政府の鉱業管理のトップであるウマル・イダニ鉱業相がインタビ

ブルキナファソ国内の金の鉱脈を示す地図を前に説明するウマル・イダニ鉱業相。金の産出量は今や年間50トンを超え、輸出額の70％を占めるという。（ＮＨＫ／2020年１月）

ユーに応じると返事をしてきた。慌ててスーツに着替えて、鉱業省に出向いた。イダニ鉱業相は執務室の壁にかかる自国の地図を前に、金の鉱脈が各地で見つかっていて、外国資本が相次いで進出し、大型の金鉱山が操業を始めているほか、数多くの手掘りの採掘場もできていて、国の経済に大きく貢献していると説明した。

「かつては綿花以外に目立った輸出品もなかったブルキナファソだが、ここ数年は大きな金の鉱脈が見つかり、金産業が活況を呈している。金の産出量は今では年間50トンを超えている。あっという間に綿花を抜いて輸出額の70％を占めるまでになっている」

しかし、質問がＩＳのことにおよぶと顔が曇った。特にカナダ資本の鉱山労働者の車列が移動中に襲撃された事件についてはあまり話したくなさそうだった。それでも、外国の記者が、国際的にも報道されたこの襲撃のことを聞かないはずがないことくらいは十分、織り込み済みなのだろう。「治安機関が懸命に努力を続けている。おかげで、各地の鉱山自体には危害はおよんでいない。ただ、確かにいくつかの道路では安全上の課題がある」と認めた。その上で、「国の東部の情勢は確かに懸念される。東部には森林地帯があるが、そこに戦闘員たちが潜んでいる。森林の中には野生動物もいて、水源もある。戦闘員たちはそれらを食料にし、自給自足をしながら継続的に身を隠すことができている。そして、森林地帯を拠点にしながら外に出てきて攻撃をしかけている」と続けた。

そこで、そばにいた秘書官がインタビューを切り上げさせようと割って入ってきたが、私は質問を続けた。

――ＩＳが金を違法に採掘しているのか？

「すでにいくつかの手掘りの採掘場は戦闘員の支配下に置かれている。そこで住民たちを使って金を掘らせている」

——掘り出された金はどうなるのか？

「これは我が国だけでは対応できない問題だ。連中は森林地帯でつながっている隣国に密《ひそ》かに持ち出して、そこで売りさばいている。連中は、自分たちをジハーディストだと呼んで、あたかも宗教の大義のために闘っているようなことを標榜《ひょうぼう》しているが、宗教を隠《かく》れ蓑《みの》にしているだけだ。その実態は密輸集団だ」

東部の森林地帯では何が

ＩＳはどのように金を採掘しているのだろうか。

しかし、ＩＳが我が物顔で拠点にしているとされ、政府軍のコントロールもおよばない東部の森林地帯に我々だけで出かけるわけにはいかない。そこで、カナダ資本の鉱山で働いていて襲撃事件に巻き込まれた人から話を聞けないかと人づてにアプローチしたが、報復が怖いなどとしてインタビューはことごとく断られた。

諦めていた矢先、東部の町に暮らす43歳の学校の教師が匿名を条件に電話でのインタビユーに応じてくれた。

「町は森林地帯との境にあるが、そこの採掘場は1年ほど前に過激派の戦闘員によって占拠された。住民たちに対しては、『自分たちに協力すれば採掘を続けさせてやる』と話している。しかし、協力を拒んだ住民は容赦なく殺されている。一方で、採掘をしている住民たちは、政府軍から見れば過激派の協力者と見なされ、戦闘に巻き込まれて殺された住民もいる」と話した。

教師が証言した実態は、まるで中東でのＩＳ組織の恐怖による支配を再現しているかのようだ。教師にも、イダニ鉱業相にしたのと同じ質問をした。

――採掘された金はどうなるのか？

「戦闘員は好き勝手に行動できている。国境に向かい、そこから隣国に金を横流ししている」

密輸ルートを追う

ＩＳの密輸先として浮かび上がっているのがブルキナファソの隣国のトーゴやベナンだ。

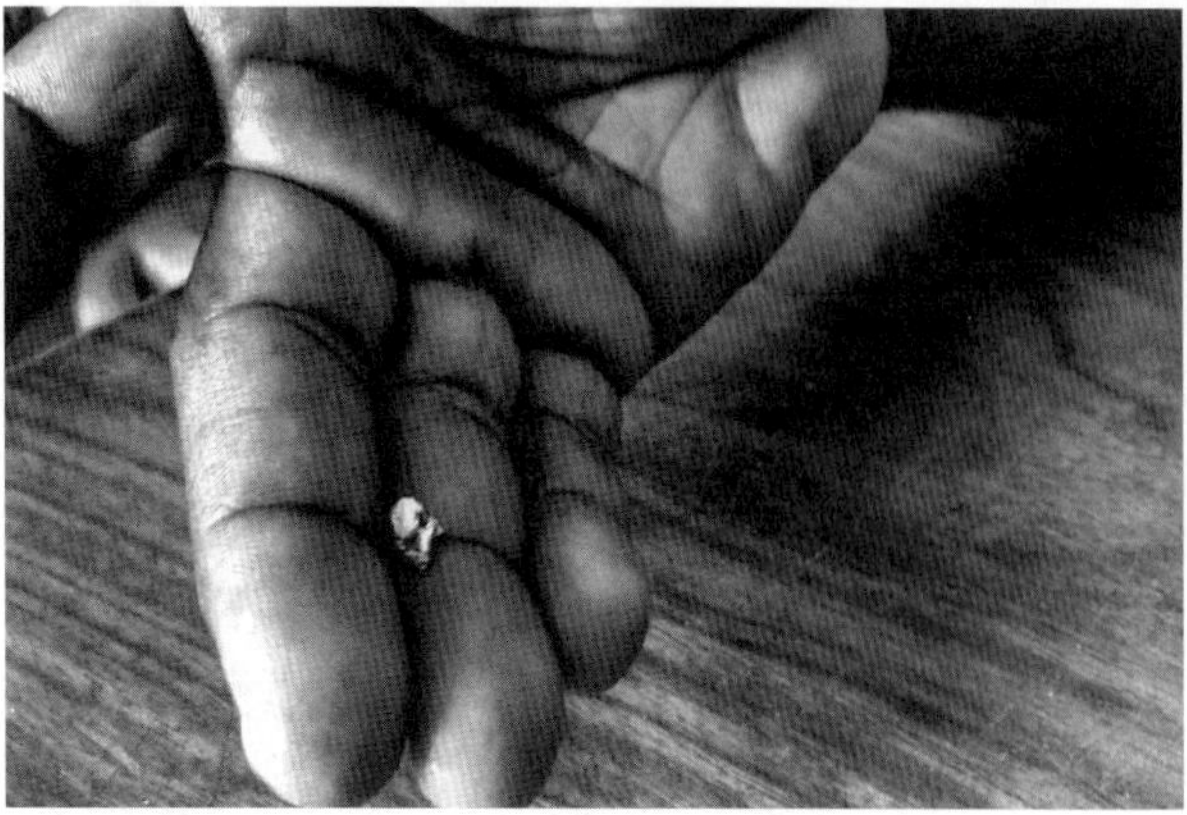

トーゴ北部のブルキナファソとの国境近くの村で金を買い取っている業者の手のひらには、光り輝く金の小さな塊があった。（ＮＨＫ／2020年１月）

地図を見ればブルキナファソ東部と森林地帯周辺で陸続きでつながっている。

そのトーゴの首都ロメに飛んだ。ロメは大西洋に面した海沿いの町だ。そこからブルキナファソとの国境に向かって、行けるところまで行ってみようと車で8時間かけて北上した。しかし、北部の森林地帯には過激派組織の戦闘員が潜んでいるとされる。２０１９年には隣国のベナンでフランス人など４人が誘拐された事件も起きている。手前の村で取材をすることにした。

村には金の買い取りをしている業者がいた。我々が訪ねた時は、ちょうど赤ん坊を背負った村の女性がやってきて、小さな金の粒を売り、日本円で数百円ほどを得ていた。村に来るまでの道すがら、いくつかの手掘りの金の採掘場を見てきたが、そうした場所で採ったものだということだった。中年の男の業者は、突然現れた日本人記者を見て驚いていたが、少しずつ話し始めた。

「自分がしているのは人助けだ。自分のおかげで、農村の女性たちは少しでも現金を手に入れることができて、喜ばれている」

——しかし、ここで買い取っている金は地元の金だけか？

「もちろん、よその国の金も人づてに持ち込まれてくる。マリとかニジェールとかの金も持ち込まれてくる。多いのは、やはり、ブルキナファソだ。ブルキナファソの人も来ている。どんな人たちかは気にもしない」

国境を越えて密輪は常態化しているのだ。

緩やかな国境管理

国境線を見ておきたいと考えて、ベナンとの国境にある検問所を訪れると、そのあまりの簡素さに拍子抜けした。バイクや自転車、それに徒歩で人々が自由に行き来していた。

トーゴと隣国ベナンとの国境にある検問所のひとつ。国境といっても、簡単な目印があるだけで、人々は自由に行き来していた。（ＮＨＫ／2020年１月）

誰も国境線を特別なものと考えていないようだった。こんな状況では、金をポケットやカバンに入れておけば、持ち込むのは簡単なことだろう。税関の職員は、「もちろん、怪しい人間がいれば話を聞くようにしている。自由に往来しているように見えるが、国境沿いの住民たちは顔見知りで把握している」と話して、仕事をさぼっているわけではないと強調した。

この一帯はかつてドイツの植民地（ドイツ領トーゴランド）だったが、第1次世界大戦を経てイギリスとフランスに分割され、今のトーゴは仏領だった場所だ。

ベナン、ブルキナファソもフランスの植民地だったため、三つの国はフランス語が公用語だ。

こうした経緯があるだけに、国境をまたいで親戚が暮らしていることも多い。そうした人たちをいちいち止めて調べるということにはならないだろう。税関職員は、別れ際ににやりとしながら話した。

「この国境線にしたって、そもそもヨーロッパ人が勝手に引いたものに過ぎないじゃないか」

首都に集まってくる金

金は仲買人の手から手へと次々に渡っていく。溶かされ、混ぜ合わされ、あっという間に産地が分からなくなり、首都ロメに集まってくる。

ロメで、各地の買い取り業者や仲買人から金を買い取っている業者が取材に応じた。マークと名乗る20代後半の若者は、最初はインタビューの撮影を拒んだが、数時間におよんだ交渉で最後は了承した。話が進むうちに、少しずつ舌がなめらかになっていった。突然、カバンの中からふたつの金の塊を取り出して見せてくれた。

「手に持ってみてください」と言われて、手渡された。

「それぞれ1キロある。1個あたり4万ドルほどだから、両手であわせて8万ドル分を持っていることになる」

確かにずしりと重い。日本円で900万円ほどだ。産地について聞くと、業者は「もともとどこで産出された金かなんて気にしたこともない。産地はどこであっても、金は金だ。全部混ぜ合わせるのだから、強いて言えば、『アフリカ産』だ」と答えて豪快に笑った。

こうした金は、最後は輸出業者の手によってスイスや中東のUAE（アラブ首長国連邦）のドバイなどに輸出されていくという。

国際市場に流れ込む金

金を輸入している国々でも、産地がきちんと把握できていない状況だ。

世界最大級の金の取引量を誇るスイスだが、国内のNGOからは国際的な金の取り引きは透明性とはほど遠いという批判が出ている。スイスの輸入統計では、多い年にはトーゴ

マーク・ビダモン鉱業相。「トーゴ全体でどれほどの金が採掘されているか、政府として把握できない」と話す。（NHK／2020年1月）

から年間15トンの金を輸入している。しかし、インタビューに応じたトーゴ政府のマーク・ビダモン鉱業相は、「トーゴには、外国資本が進出して操業しているような大きな金の鉱山はなく、非公式な手掘りの採掘場がいくつかあるだけだ。地元の人たちが生活のために掘っているだけで、政府としてはその数もすべては把握していない」と話した。

――では、いったい、トーゴでは年間どれほどの金が採れているのか？

「先ほども話したように、政府としては把握できていないのが現状だ。だから、あくまで推測しかできないし、推測することにも慎重でありたいが、トーゴ産の金はせいぜい年間数十キロしか採れないだろう」

スイス政府の統計では、多い年で15トンもトーゴから輸入しているのとは大きな乖離《かいり》だ。その上で、ビダモン鉱業相は、「『トーゴ産』として輸出されている金のほとんどが実際にはほかの国から持ち込まれたものであることは否定のしようがない。トーゴが密輸の中継地になってしまっている。政府としてもあらゆる対策を取っていきたい」と話した。

スイス政府は、不透明な金の取り引きに関する批判を受けて、専門家に委託して2017年に報告書を公表している。その中では、「スイスの金の輸入元は輸入業者の申告をそのまま記載しているに過ぎない」と指摘している。

いったいどれだけの金がＩＳの資金源になっているのかは分かっていない。ただ、世界各地の紛争地について調査している「インターナショナル・クライシス・グループ」によると、サヘル地域において手掘りで産出される金はあわせて年間2000億円から4500億円になると見られる。ＩＳが奪っているのがその一部だとしても大きな金額だ。こうした資金にひきつけられて、かつてのシリアのように、今度はサヘル地域が過激な思想に共鳴する若者たちの目的地になる恐れもある。事態を放置すれば、「第2のシリア」にだってなりかねないのだ。

アフリカの現状が顧みられることがないまま先進国で資源が消費されていく実態は、かつての「血塗られたダイヤモンド」と同じような構図に見える。しかし、「血塗られたダイヤモンド」をめぐっては、産出国、消費国、業者が「原産地証明」の仕組みを作り、国際市場に流通させないための対策を取ってきた。それだけに、「血塗られたゴールド」についても各国が協調して、流通させないための仕組みを作っていくことが急がれている。

これは、アフリカだけではなく、国際社会への脅威であり、共通の課題だ。

第10章　世界で最も若い国の若者たち

義足で歩く少女

右に左に少し揺れながら、バランスを取り、義足で歩く少女がいた。

2019年4月、南スーダンの首都ジュバにある、ICRC（赤十字国際委員会）が支援するリハビリセンターでのことだ。平屋建ての建物を訪ねると、戦闘に巻き込まれるなどして、手や足を失った人たちの姿があった。目立つのが、義足をつけ、杖《つえ》をつく人たちだった。

このうちのひとりが5歳の少女、エマニュエラ・ジョハンちゃんだった。2年前に家の中に武装グループが押し入り、右足に銃弾を受けて大けがを負い、切断せざるを得なかった。付き添っていた母親のエメルダ・ワスクさん（35歳）に話を聞くと、「武装グループに襲われ、パニックになりとても恐ろしかった。今も、その時のことを思い出すと恐怖に襲われる」と話した。

エマニュエラちゃんは、体の成長に伴ってそれまでの義足があわなくなり、この日、新しい義足に換えるためにセンターを訪れていた。順番が来て、建物の中の部屋に行き、椅

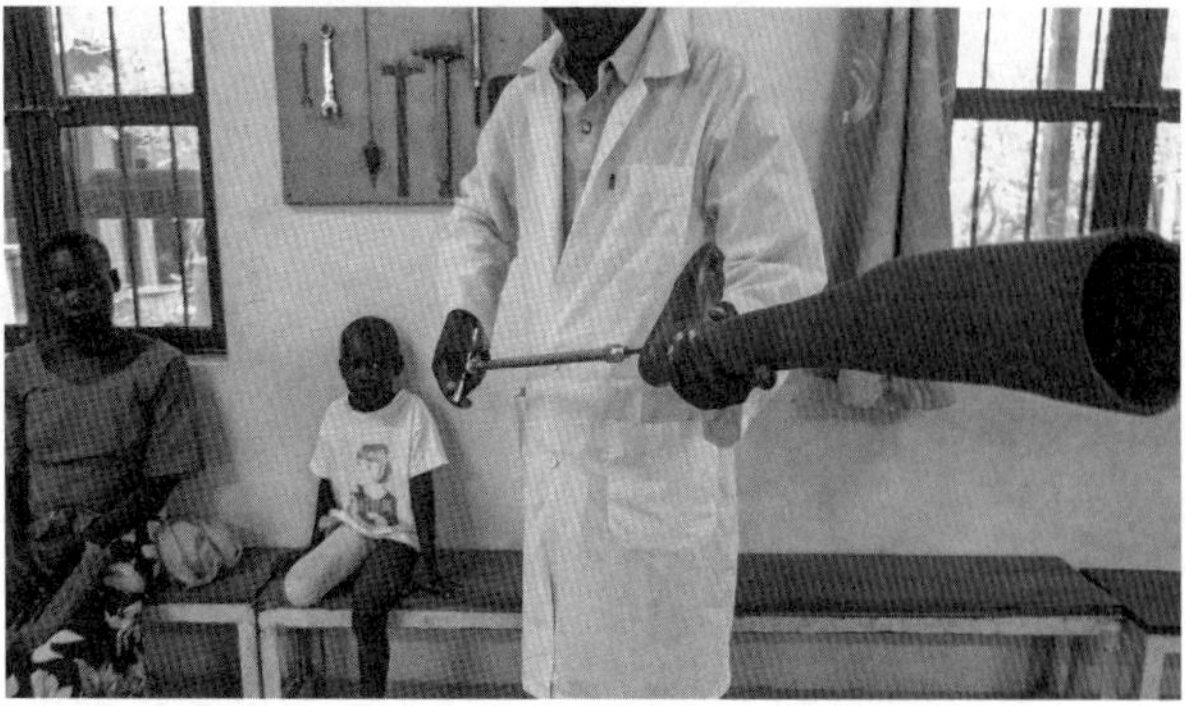

南スーダンの首都ジュバにあるリハビリセンターで義足を交換するエマニュエラ・ジョハンちゃん。体の成長にあわせ義足を新しくする必要がある。（ＮＨＫ／2019年４月）

子に座って待っていると、センターの職員がやってきて彼女の義足を外した。ぽこっという音とともに義足が外れると、包帯が巻かれたももが見えた。膝から下はなかった。

その後、左の足の長さにあわせた別の義足をつけて、それがあうかどうか試すために、５メートルほどの距離をバランスを取りながら歩いて往復した。職員がさらに少しだけ長いものや短いものを持ってきては、同じように試した。そのたびに、室内を何回も往復するエマニュエラちゃん。これから成長するにつれ、ずっと繰り返すことになるのだ。

独立はしたものの

これがせっかく独立を果たした、世界で最も新しく若い国で起きていることだ。

南スーダンが独立したのは２０１１年。スーダンでは、１９８０年代に北部のイスラム教徒主導の中央政府が全土にイスラム法を導入すると、キリスト教徒の多い南部が反発して、双方の武力対立から内戦に突入した。２００５年に和平協定が結ばれるまで、20年以上にわたって続いた内戦では２００万人が犠牲になったとされる。

そうした苦しみを乗り越えて南部は独立を果たして、新たに南スーダンという国が誕生したのだ。しかし、独立当初から石油の利権や政府の主導権をめぐって、最大民族出身のサルバ・キール大統領と、異なる民族出身のリアク・マシャール副大統領が反目した。日本など各国は国連ＰＫＯ（平和維持活動）に部隊を派遣したが、独立からわずか2年後の２０１３年に、キール大統領が率いる政府軍とマシャール副大統領を支持する勢力が衝突し、内戦状態に陥ってしまった。ＰＫＯに派遣されていた日本の自衛隊の部隊も、情勢の悪化を受けて２０１７年に撤退した。

ジュバの国連ＰＫＯ部隊本部の近くにある避難民キャンプ。戦火で家を追われ、国内外に逃れた人は400万人を超えていた。（ＮＨＫ／2019年４月）

首都ジュバの郊外には、戦闘で家を失った国内避難民のキャンプが広がっている。キャンプ内にはいくつもの道路が通っていて、その両脇に仮設住宅や商店が並んでいる。行き交う多くの人々の姿だけを見ていれば、どこかの村にある買い物客で混み合う市場のようにも見える。しかし、どの人も、もともと住んでいた場所から着の身着のまま逃れてきた人たちだ。

国連の調査では、２０１９年の段階で、全国で４２０万人が家を追われ、このうち１９０万人が国内の別の場所に、２３０万人が難民として国外に逃れていた。キャンプで話を聞いた65歳の男性は、戦闘で息子を失ったあとに、ここに逃れてきたということだった。「この国に平和が訪れるとは思えない。政治指導者はいがみ合いばかりしている。実際、もう何年も実現していないではないか」と話した。

チューブでミルクをとる幼子

政治指導者たちのいがみ合いによる代償は若者たちが払っている。

特に深刻なのが幼い子どもたちの状況だ。混乱が続いて農業生産が落ち込んでいる結果、食糧は足りなくなっている上、値段も上がっている。医療機関には、多くの子どもが親に連れられてきており、子どもたちの栄養状態を調べる簡易な方法として、ここでもメジャーで上腕部の太さを測る方法が採られていた。

ある4歳の少女は、12センチ前後で、栄養不良の恐れが指摘された。母親は、「子どもに食べさせてあげたいが、収入がなく、食べ物が十分に買えない」と嘆いた。それでも、医療機関の待合室や診察室では子どもたちの泣き声が響いていた。

しかし、入院している子どもたちがいる病院では様子が異なった。病棟のすべてのベッドがいっぱいだったが、普通の話し声を出すのもはばかられるほど静まりかえっていた。

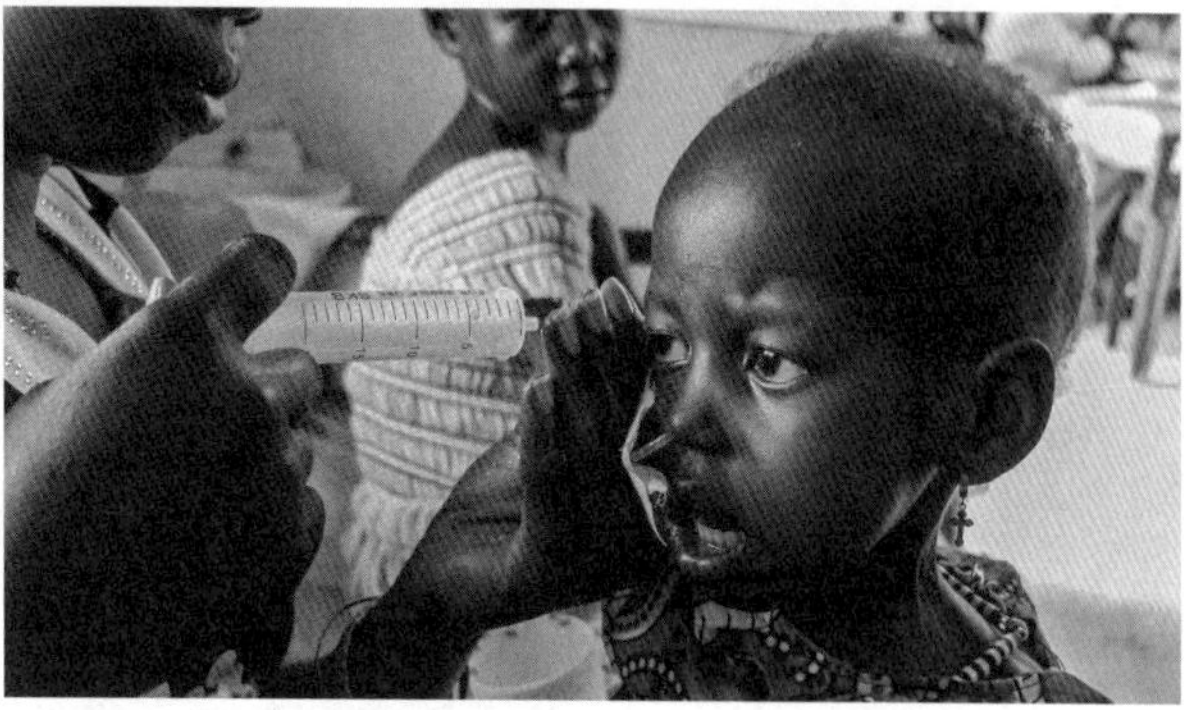
ジュバの病院に入院する栄養状態の悪化した子ども。衰弱して、自分の力でミルクを飲むこともできず、チューブで与えられていた。（ＮＨＫ／2019年４月）

そこの子どもたちは泣き声を上げることもできないほど衰弱してしまっているのだ。中には、チューブを鼻に入れられ、そこからミルクを与えられている子どももいた。もはや、自分の力でミルクを飲むこともできなくなっているからだということだった。子どもたちの顔にはハエがたかっていた。心配そうな顔で付き添っている母親たちがいくら手のひらを振って追い払っても、ハエはすぐに戻ってくる。看護師が、「治療の甲斐《かい》なく、命を落とす子どももいる」と、悔しそうにつぶやいた。

少年兵

戦闘の巻き添えになったり、暮らしが破壊されたりすることに加え、中には、「少年兵」として戦場に送り込まれている子どもまでいる。その数は、南スーダン全土でおよそ2万人になると見られていた。

ユニセフやNGOでは、元少年兵の社会復帰の支援にあたっている。ジュバにある職業訓練施設では、元少年兵だった10代の子どもたちが寮生活をしながら、働くための技術を学んでいた。サント君（仮名）という17歳の少年がインタビューに応じた。およそ2年間、反政府武装グループのひとつに加わっていた。10歳の頃に両親が病気で相次いで亡くなり、生き延びるためには少年兵になるしかなかったということだった。

「親がいなかったし、食べ物や水、服ももらえるので、武装グループに入った」

——戦闘は怖くなかったのか？

「その頃は銃を持っていたし、闘うのは怖くはなかった。そもそも、闘うしかなかった」

——辛いと思ったことは？

「目の前で人が殺されるのを見た。そのことを思い出すと今も辛い。武装グループから逃げ出したいと思ったこともあった。だけど、僕を助けてくれる人はいなかった」

サント君は、職業訓練施設でコンピューターのプログラミングを学んでいた。将来はI

少年兵だったサント君（仮名）。およそ２年間、反政府武装グループのひとつに加わっていた。17歳になりＩＴエンジニアになるため職業訓練中。（ＮＨＫ／2019年４月）

Ｔエンジニアになるのが夢だという。

「戦闘するのと、勉強するのとだったら、断然、勉強の方がいい。闘いは生きるか死ぬかだけだ。勉強はずっと続けることができる」

子どもたちは施設で３か月過ごしたあと、新しい生活に向けて一歩を踏み出す。しかし、国連などの仲介でせっかく解放されたものの、生活苦から再び少年兵になるケースもあるという。元少年兵の社会復帰は簡単ではない。

問われるアフリカの主体的な責任

この取材からおよそ1年後の２０２０年2月、対立していたキール大統領とマシャール副大統領の勢力は、周辺国や国際社会の仲介もあって、ようやく暫定的な統一政府を発足させた。2018年8月に和平合意に署名したあと、期限を二度にわたって延期した末でのことだ。今後、3年間の移行期間に選挙を実施して、正式な政府を発足させることになっている。

アフリカは、かつてはヨーロッパによる植民地支配など外部勢力に翻弄され、今は世界の資本主義システムの大きなツケである気候変動の脅威にさらされている。確かに外からの挑戦を多く受けている。しかし、アフリカ自身の行動も問われている。

国際社会の協力を得ながらであっても、200万人以上の難民の帰還や食糧不足に直面する国民への支援に、一義的にあたらなければならないのは南スーダンの政府だ。2013年以降の混乱では、戦闘や飢餓によって40万人が犠牲になったといわれている。こうした悲劇をもたらした政治指導者たちは、右足を失い義足で歩くエマニュエラちゃんや元少年兵のサント君を含め、世界で最も若い国の若者たちに対して大きな責任があることを忘れてはならない。

第11章　平和のために闘う医師

真冬のオスロにて

「私の名前はデニ・ムクウェゲ。この地球で最も豊かな国のひとつの出身だ。しかし、私の国の人々は世界で最も貧しい人々でもある」

2018年12月、真冬のノルウェーの首都オスロの市庁舎で開かれた式典で、こう自己紹介をまじえてスピーチを行ったのは、この年のノーベル平和賞を受賞したアフリカ中部コンゴ民主共和国のデニ・ムクウェゲ医師だ。この時63歳。「紛争下の性暴力」の問題と闘ってきた功績が評価され、イラクの少数派のヤジディ教徒で自らも性暴力の被害者であるナディア・ムラドさんとの共同受賞だった。

スピーチの冒頭、ムクウェゲ医師は活動を始めたきっかけを語った。

「1996年10月6日の悲劇的な夜、私が勤務していたコンゴ民主共和国のルムラにある病院が武装グループによって攻撃された。30人以上が殺害された。患者は治療を受けているベッドの上で殺された。逃げることもできず、病院のスタッフも冷酷に殺された。

それでも、その時、それがまだ始まりに過ぎないことを想像することもできなかった。

2018年12月、ノーベル平和賞の授賞式で演説するコンゴ民主共和国のデニ・ムクウェゲ医師。（写真提供：共同通信社／ユニフォトプレス）

１９９９年にルムラを追われて、ブカブでパンジ病院を立ち上げた。私は今もそこで産科医として働いている。最初の入院患者は、レイプの被害者だった。性器に銃撃を受けていた。

ぞっとする暴力はとどまるところを知らなかった。悲しむべきことに、こうした暴力は決して止まることはなかった。

いつものように、ある日、病院に電話がかかってきた。電話口の向こうから、同僚が涙ながらに大急ぎで救急車を派遣するよう要請してきた。いつものように救急車を派遣した。その2時間後、救急車が戻ってきた。搬送されてきたのは生後18か月ほどの女の赤ちゃんだった。大量に出血していて、すぐに手術室に運ばれた。私が手術室に入ると、看護師たちは全員泣いていた。赤ちゃんの膀胱、性器、直腸は大きく損傷していた。大人の性器の挿入によってだ。

我々は声を出さずに祈った。

『神よ。どうか、我々が今見ていることは本当のことではないと言ってください。これは悪夢だと言ってください。我々が目覚めた時には、すべてが解決していると言ってくださ い』

しかし、これは悪夢ではなかった。現実だった。コンゴでの新たな現実だった」

「アフリカ大戦」と呼ばれた紛争

アフリカ中部のコンゴ民主共和国は、アフリカで2番目に大きな国土を持つ国だ。九つの国と国境を接し、まさに大陸の心臓部に位置する国である。1998年から5年近く続いた内戦では、周辺の少なくとも5か国が介入し、「アフリカ大戦」とも呼ばれた大規模な紛争になった。

しかし、内戦が公式に終結したあとも、東部ではいくつもの武装グループが激しい戦闘を繰り広げていて、国際的な支援団体の調査では、戦闘や飢餓でこれまでに540万人が犠牲になったと推定され、第2次世界大戦以降、一度の紛争としては最大の犠牲者数だといわれている。国連は、要員1万8000人と世界最大規模のPKOを展開しているが、情勢は安定化できていない。

武装グループが奪い合っているのが、世界有数の埋蔵量を誇る金やダイヤモンドなどの鉱物資源、それに携帯電話や電気自動車に使われるレアメタルだ。2004年12月から2005年1月にかけてコンゴの東部で取材をした時のことだ。武装グループ同士の戦闘が激しさを増したのを受けて、PKO部隊が双方を引き離すために長さおよそ4キロにおよぶ緩衝地帯を設けたのにあわせて、我々もその緩衝地帯に入り、現地の情勢を取材したのだが、取材のために移動中、道路から少し入ったところで、大勢の男たちがスコップなどを使って地面を掘っているのにでくわした。車を止めて男たちから話を聞いたところ、露天掘りのダイヤモンドの採掘場だということだった。「地面を掘ればダイヤモンドが見つかるなんて、まるで宝の山の国だな」と思った。このような豊かな天然資源は、本来ならば国民生活の向上のために使われるべきなのだが、あろうことか紛争の長期化と激化をもたらしている。

ムクウェゲ医師は、このコンゴ東部の紛争地帯で繰り返されている性暴力と20年以上にわたって闘ってきた。内戦が勃発した翌年の1999年にブカブに設立したパンジ病院では、これまでに5万人以上の女性たちを治療し保護してきた。本人が武装グループに暗殺されかけたこともあり、一時期、ヨーロッパに亡命を余儀なくされた。しかし、戻ってきてほしいとの女性たちの要望に応じて数か月で帰国し、PKO部隊の警護を受けながら活動を続けている。

重い口を開く女性たち

レイプが戦場で当たり前になっているコンゴの現実とはどのようなものか。

その実態について取材するため、ノーベル平和賞の受賞式に先立つ2018年11月、コンゴと国境を接する東の隣国ウガンダに向かった。連日、多くの人がコンゴ東部での戦闘を逃れて、国境を越えてきていた。国境近くにあるチャカ難民キャンプでは、2017年の終わり頃から新たな難民の受け入れが急増していて、一時期は毎月7000人から90

コンゴから逃れてきた難民が身を寄せるウガンダ西部の難民キャンプ。過酷な経験を語り、共有することで、女性たちの苦しみを癒やそうと取り組んでいる。（ＮＨＫ／2018年11月）

００人ものペースで増え、８万人近くにふくれ上がっていた。コンゴ側での戦闘がいかに激しいかを物語っている。

国連の職員によると、「世界で最も急速に難民の数が増えているキャンプのひとつだ」ということだった。その日も、何台ものバスに乗って、国境を越えてきたばかりの人たち１１００人がキャンプに次々とたどり着いた。着の身着のまま逃れてきた人々には、女性や子どもの姿が目立つ。疲れ切った表情で、「コンゴでは恐ろしい戦闘が起きている」と口々に訴えた。

キャンプでは、国連やＮＧＯが女性たちを対象にした集会を開いていた。司会役のＮＧＯの職員が、「無理をする必要はないが、できる範囲で自分たちの体験を共有しよう」と呼びかけると、少しずつ女性たちが重い口を開き始め、それまで誰にも言えなかった体験や目撃談、そしてため込んでいた苦しみを語り始めた。

「自分の近所の家が武装グループの襲撃を受け、戦闘員の連中は娘ふたりを連れ去ろうとした。止めようとした母親は射殺され、娘たちはレイプされた」

「ある家では、父親が縛られ、目の前で娘がレイプされた」

地元の言葉をNGOのスタッフにフランス語に訳してもらいながら、必死にメモを取ったが、時折、話がつながらなくなる。おそらく戸惑った表情をしたのだろう。私の様子を見て、国連の職員が耳打ちしてくれた。

「話が分かりにくいと思うが、無理もない。実は、彼女たちは自分の身に起きたことなのに、時には、まるで他人の身に起きたことであるかのように話すこともある。ただ、それはあまりにも過酷な体験をしたから、なんとか心を防衛しようとしているためだ」と聞かされた。キャンプの責任者によると、避難してきた人のほとんどが凄惨な性暴力を間近に目撃したり、実際に被害に遭ったりしているということだった。

クローディナ・ウイマナさんと４人の子どもたち。現状を広く知ってもらうためならばと取材に応じてくれた。（ＮＨＫ／2018年11月）

被害者たちの証言

現状を広く知ってもらうためならばと、28歳のクローディナ・ウイマナさんが取材に応じてくれた。少し話をしただけで、聡明でしっかり者の女性だということが伝わってきた。難民キャンプで暮らす家は質素なものだが、手入れが行き届いていた。それもそのはずで、コンゴ東部では夫とともに雑貨店を切り盛りしていたという。

しかし、２０１８年１月に悲劇が訪れた。深夜、武装グループが自宅に押し入り、夫を射殺し、自身は性暴力の被害を受けた。その時のことについて話を始めると、感情がこみ上げて言葉を詰まらせ、涙があふれ出た。

「頭を鉄の棒で殴られ、レイプされながら、このまま殺されると思った。殺されるというのは、こういうことなのかと思った」

そのショックは大きく、難民キャンプに逃れてきた今でも、夜、家の近くを人が通る物音がするたびに恐怖に襲われるという。その時の様子を目撃してしまった12歳の長女のデイナンさんは、「コンゴには絶対に帰りたくない」と言い切った。

襲撃のあと、ウイマナさんは夫を埋葬し、3人の子どもを連れてキャンプに逃れてきた。そして、10月、キャンプで女の赤ちゃんを産んだ。話がそこにおよぶと、赤ちゃんの顔を、くるんでいた布でさっと隠し、顔を見られたくない様子だった。そして、「赤ちゃんの父親は夫かもしれないし、武装グループの男たちかもしれない」とだけ短く話した。

ほかの質問には具体的に丁寧に答えてくれたのに、この件についてだけは、それ以上は話さず口をつぐんだ。ほかの子どもたちは幼い妹の誕生を喜び、次々にほおずりするなどかわいがっていた。父親が誰であれ、これからは母子5人で生きていかなければならない中で、たとえ真相を知っていても、28歳の女性はそのことを誰にも言うまいと決めているようだった。

取材に応じる16歳のブシンジェさん（仮名）。この時、お腹の赤ちゃんは6か月だった。話しながら何度も声を詰まらせ、涙を流した。（ＮＨＫ／2018年11月）

性暴力の被害に遭っているのは大人の女性だけではない。子どもたちも巻き込まれている。16歳のブシンジェさん（仮名）もそのひとりだ。２０１８年2月、自宅に押し入ってきた武装グループに拉致され、数か月にわたり、繰り返し性暴力を受けた。およそ8か月後の10月に解放され、ようやく両親の元にたどり着いた。その時、お腹が大きくなっていた。

「連中は私が妊娠したことが分かると放置した」と話した。両親は大切に育ててきた娘が戻ってきたことを喜びながらも、娘の身に起きたことを思い、悲しみに沈んだ。

家族はその直後にコンゴを後にしてキャンプに逃れてきた。我々が取材に訪れていた時、ブシンジェさんは初めてキャンプ内の医療施設に行き、健康診断を受けた。お腹の赤ちゃんは妊娠6か月だと告げられた。キャンプでは、性暴力の被害を受けた女性たちのカウンセリングも行われていて、ブシンジェさんも母親に付き添われてケースワーカーと話をすることができた。ようやく医療やカウンセリングという支援を受けることができるようになった。しかし、苦しみは簡単には癒えない。カウンセラーは、「彼女たちは性暴力の場面を夢で見たり、突然思い出したりする。苦しみは繰り返され、ずっと続く」と話した。

突然の襲撃に、繰り返された性暴力、そして妊娠。16歳の少女が受け止めるにはあまりにも過酷な現実だ。「私はこれからどうしたらいいのか。住んでいた家も失った。毎日、妊娠のことばかりを考えている」と話し、ぽろぽろと涙を流した。横でインタビューを聞いていた母親も泣き出した。父親は、襲撃を受けた際に斧《おの》で足を殴られたということで、大きな傷跡があった。その父親の目からも涙があふれた。

マリー・アスンプタさんは64歳の女性だ。2017年7月、自宅の畑で農作業をしていた時に武装した6人組の襲撃を受けた。夫は殺され、近所の女性たち3人とともに手足を縄で縛られ、レイプされたという。隣でレイプされた女性は、性器の中に棒を入れられ、大けがをしたという。身寄りもなく、キャンプではひとりで暮らしていた。

最初は外国の記者を前に努めて明るく振る舞っているように感じたが、インタビューが始まるとすぐに声を詰まらせ、涙を流しながら話した。

「私は神様を信じている。教会の活動にだって積極的に参加してきた。しかし、このような目に遭った。神に言った。『本当にあなたは私がこんな目に遭ってもいいのか。いったい、私が何をしたというのか』と」

キャンプに逃れてから受けた検査ではエイズウイルスに感染していることも分かった。

「感染が分かった時は、二度目のレイプに遭った気持ちだった」

最後に、いつかはコンゴに帰国したいかと聞くと、体の前で両手を大きく振りながら、「絶対に、絶対に戻りたくない。コンゴに平和が訪れることは絶対にない」と話した。

どの女性も、インタビューの間、声を詰まらせ涙を流した。こんなにも多くの涙に触れた取材は、これまでほかにあっただろうか。

問われるコンゴ政府の対応

取材で改めて浮かび上がったのは、性暴力は戦闘員たちが性欲を満たすためだけに行っているわけではないということだ。女性に危害を加えることで、女性本人を傷つけ、家庭を崩壊させ、地域社会そのものを崩壊させようとしている。レイプが、力を誇示して支配地域の住民を屈服させるための、弾薬も要らなければ、高度なミサイル技術も要らない、安価で残酷な「戦場の武器」になっている。

国連の安全保障理事会では、2008年に、こうした紛争下の性暴力を「平和に対する脅威であり、戦争犯罪だ」とする決議を採択している。しかし、こうした犯罪行為はほとんど処罰もされていないのが現状だ。

ムクウェゲ医師は、オスロの授賞式でのスピーチで、このことへの憤りを表明した。

「人々の悲劇は、責任者が処罰されない限り続く。無責任に対する闘いのみが、暴力の連鎖を食い止めることができる。

なぜ世界は犯罪者に責任を取らせるのを待っているのだろうか。正義なくして平和は訪れない。正義は妥協できるものではない」

そして、ムクウェゲ医師は、自国の政治指導者が大きな責任を負っていると批判した。

「私はこの賞をコンゴの国民を代表して受け取っている。世界中の性暴力の被害者に捧げたい。

私の国は、指導者を自認する人たちが結託して、組織的に略奪されている。彼らの権力、富、そして名声のために略奪されている。数百万人もの男性、女性、そして子どもたちが極貧に放置される中で、略奪されている。

『コンゴの国民よ、今こそ行動しよう』。アフリカの心臓部に政府が国民に奉仕する国を建設しよう。その国では、法の支配が確立され、コンゴだけではなくアフリカ全体に持続的で、調和の取れた開発を可能にするだろう」


「ムクウェゲ医師って誰？」

しかし、そのコンゴの政治指導者たちはムクウェゲ医師の訴えに耳を傾けているのだろうか。

平和賞の授賞式と同じ月、２０１８年12月、大統領選挙が行われた。２００１年に、暗殺された父親の後を継いで以降、18年近くも権力の座にいたジョセフ・カビラ大統領は、本来ならば２０１６年に任期が切れていたはずだった。その2年後になってようやく行われた選挙だ。本人は立候補せず、民主主義を尊重していると喧伝したが、実際には腹心の元内相を擁立した。

選挙プロセスは混迷した。

投票日が近づく中、首都キンシャサにある選挙管理委員会の倉庫で放火と見られる火災があり、投票用紙などが大量に焼失するということが起きた。そして、投票の3日前になって、選挙管理委員会は準備の遅れを理由に投票を1週間延期すると発表した。さらに、延期された投票日の4日前には、野党の影響が強い、いくつかの地域については、治安情勢の悪化などを理由にさらに3か月延期すると発表。野党支持者の間で反発が広がり、複数の都市で治安部隊と衝突する事態となった。

情勢が混沌とする中、12月30日に投票が行われたが、選挙結果の発表も予定より延期された。野党側は、「元内相に有利になるように開票作業で不正が行われている」と批判し、すみやかな発表を求めたのに対し、政府側は、「根拠のない情報の拡散を防ぐためだ」として、国内のインターネットや外国の一部のラジオ局の放送を遮断する措置に出た。

最終的に、年が明けた2019年1月10日に開票結果が発表され、元内相は落選したものの、カビラ政権との距離が近いと見られる最大野党の候補の当選が発表された。これに対して、別の有力な野党候補が反発したほか、政府が国際的な監視団の受け入れを制限する中で、大規模な監視団を組織して各地の開票結果を独自に集計していたカトリック教会は選挙管理委員会の発表に疑問を呈した。

私は選挙戦とその混乱ぶりをキンシャサで取材した。ノーベル平和賞の授賞式の直後でもあり、市民に感想を聞いたが、驚いたことに、ほとんどの市民がムクウェゲ医師のことを知らないと言うのだった。自国の医師がノーベル平和賞を受賞すれば、国を挙げて歓迎されるのかと思えば、全くそんなことは起きていなかった。

それもそのはずで、政府への批判も臆さないムクウェゲ医師の功績については、政府の影響の強いメディアは事実上無視している。性暴力をめぐっては、武装グループだけではなくコンゴの政府軍にも加害者がいると指摘されている。コンゴ政府がこの問題の解決に向けてどこまで積極的に対策に乗り出すのか疑問が残った。

「無関心に挑む闘いを」

国際社会の姿勢も問われている。

コンゴの紛争を激化させている要因にもなっている鉱物資源は世界中に流れ込んでいる。スピーチの中で、ムクウェゲ医師は、このことを指摘した。

「困惑してしまう現実なのだが、金、コルタン、コバルト、そのほかの戦略上重要な鉱物といった天然資源が豊富にあることが、戦争、過激な暴力、そして極貧の根本原因になっている。

誰だって、素敵な車や宝石それにガジェット（小型電子機器）が大好きだ。私自身もスマートフォンを持っている。しかし、これらの商品はコンゴで採れる鉱物を含んでいる。あなたが電動自動車を運転する時、スマートフォンを使う時、宝石にうっとりする時、これらの商品を製造する際の人々の苦しみに思いをはせてください。これらの商品が人間の尊厳を尊重して製造されたのかどうか、消費者として少なくとも気にかけることはできるはずだ」

そして、ムクウェゲ医師は、我々にこう問いかけた。

「これまでになかったほど優れた通信手段が発達している中で、もはや誰もが『自分は知らなかった』とは言えまい。ノーベル平和賞とともに、世界に目撃者になってもらいたい。人類にとって恥ずべきこの苦しみを終わらせるために、ともに行動するよう呼びかける。行動するというのは、無関心に対して、ノーと言うことだ。もしどうしても戦争をしたいのならば、我々の社会を蝕んでいる無関心に挑む戦争が求められている。

我々は何ができるのか。あなたは何ができるのか」

紛争下のアフリカからの訴えに向き合い、きちんと反応できる国際感覚を持っているのか、私たちひとりひとりもまた試されている。

第12章　カエル跳びで前進せよ

「千の丘の国」の老舗《しにせ》ホテル

そのホテルはどこか懐かしい気持ちにさせてくれる。

アフリカ東部のルワンダは、人口およそ1200万。「千の丘の国」として知られるだけに、小高い丘がいくつも連なり、首都キガリも坂の多い美しい町だ。そうした坂のひとつを上ったところに、「オテル・デ・ミル・コリーン」、その名も「千の丘のホテル」という1973年にオープンしたホテルがある。

フランス語の名前なのは、この国がかつてベルギーの植民地主義に基づく支配を受けていた名残で、今でもルワンダではフランス語が公用語のひとつだ。5階建ての小規模なホテルで、設備は決して最新ではないが、よく手入れされていて、老舗らしく落ち着いた雰囲気に包まれている。部屋からはキガリの街並みが一望できて、眺めも最高だ。私の個人的な感想だが、朝食会場で出てくるコーヒーが、これまでに世界各地で飲んだどのコーヒーよりもおいしいと思っている。

その一方で、このホテルはルワンダの凄絶な民族虐殺の悲劇を目の当たりにした場所で

「オテル・デ・ミル・コリーン（千の丘のホテル）」。ルワンダの首都キガリにある老舗ホテルだ。（写真提供：著者／2019年1月）

もある。ルワンダでは、多数派のフツの人々と少数派のツチの人々による主導権争いが続いていたが、1994年4月、当時の大統領が乗った飛行機が撃墜されたのをきっかけに、多数派のフツの過激な民兵組織が、少数派のツチの人々や穏健なフツの人々に襲いかかり、その後わずか3か月の間におよそ80万人が犠牲になった民族虐殺が起きた。

当時、「オテル・デ・ミル・コリーン」の支配人だったポール・ルセサバギナさんは、恐怖と不安に直面しながらも、勇気を持って、虐殺の暴力から逃れてきた人たちおよそ1200人を、フツやツチの人たち分け隔てなく受け入れてかくまった。そもそもフツやツチという違いは、植民地時代に支配者のベルギー人が地元の人々を分断して統治するために作り上げた人為的なものに過ぎない。

世界を震撼《しんかん》させたその民族虐殺から25年以上が経った。このホテルの周囲は当時から考えられないくらい様変わりしている。特にこの10年の変化は大きい。以前はホテルの周囲は閑静な住宅街で、このホテルくらいしか目立った建物がなかったが、今ではすぐ近くにいくつもの高層のオフィスビルやホテルが建ち並んで、逆にこのホテルを見下ろしている。

世界銀行によれば、ルワンダの2019年の経済成長率は9％を超えている。高層ビルが建ち並ぶ新市街を歩くと、そこだけシンガポールかドバイにいるような錯覚を覚える。民族虐殺の歴史の教訓や犠牲になった人々のことは決して忘れてはならない。その一方で、ルワンダと言えば虐殺というステレオタイプな見解だけでは現実とずれているようだ。

「カエル跳び」で課題を乗り越える

2020年2月、そのキガリの中心部にある近代的な国際会議場は若者たちの熱気に包まれていた。アフリカで初めての、ドローン技術の活用について話し合う国際会議が世界銀行とルワンダ政府などの主催で開かれ、アジアやヨーロッパなど世界40か国あまりから600人以上が参加した。

世界銀行によると、アフリカの都市部以外では舗装道路の2キロ以内の距離に住む人は人口のわずか3割しかいない。東アジアでは9割に達していることに比べてもきわめて低い。アフリカ開発銀行はインフラの開発や整備にかかる費用は年間1300億ドルから1700億ドル（およそ14〜18兆円）が必要だと試算している。しかし、そんな膨大な費用を簡単にまかなうことはできない。ならば、ドローンが自由に飛べる空に目を向けようというのだ。国際会議が掲げたスローガンは、“Unlock Africa's Skies”、「アフリカの空を解放せよ」で、空に活路を見いだしたい狙いが見えた。開会式で、ルワンダのカガメ大統領は、「この会議は発想の転換を生むいい機会だ」と述べて、参加者の活発な議論に期待を寄せた。

これまでの経済発展の常識からすれば、まずは道路網を整備して陸上の輸送ネットワークを構築し、その上でドローンの活用を考えていくというのが順番だっただろう。しかし、道路網の整備がなかなか進まない中で、ドローンという最新技術の活用を始めようというのだ。こうしたことは、アフリカで目立って増えている。

電話網の構築のためには、これまでだったら電話線を張り巡らす必要があったが、そうした有線電話の時代を飛び越えて、多くの国で一気に携帯電話が普及している。また、支払いの手段としての貨幣にこだわらずに、デビットカードやクレジットカードが主流になり、さらには携帯電話で電子マネーをやりとりする国もある。このように先進国がこれまでに経験したプロセスを飛び越えて、一気に最新の技術を普及させる動きは「リープフロッグ」、つまり「カエル跳び」と呼ばれている。

私が駐在する南アフリカでも日常生活では現金を持ち歩いていない。スーパーで飲料水を1本買うだけでもデビットカードを使っている。日本に一時帰国した時に、飲食店などで「クレジットカードを利用してもいいか」と聞くような不便さもなければ、「現金のみ」と言われて慌ててコンビニエンスストアのATMに走っていくこともない。

「アフリカの時代が来る」と断言する若者

ルワンダでは国を挙げてドローン技術を普及させ、「カエル跳び」による前進への期待が高まっている。しかし、その背景には、現地の厳しい状況がある。「千の丘の国」で知られるだけに起伏の大きい地形で、首都から一歩外に出れば舗装されていない道路も多い。

キガリを出て地方の農村に向かった。丘が連なる地形なだけに、道路は坂を上っては下る。幹線道路であっても、アスファルトがはがれている場所がいたるところにあり、車は路上の穴を右に左に避けながら進み、結局140キロの距離を移動するのに3時間近くかかった。交通インフラが整っていないことから、輸送コストも高くなり人々の生活には大きな支障が出ている。

村で農業を営むジャン・ネザマーソさん（40歳）は、妻のステファニー・ムカルビビさん（34歳）と3人の子どもと暮らしていて、マラリアに苦しめられている。マラリアは、蚊が媒介する感染症のひとつで、世界の熱帯地域で流行し、毎年40万人以上が死亡している。この死者のうち90％以上がサハラ砂漠以南を中心にしたアフリカの国々に集中していて、患者は高熱でうなされるなど深刻な病気だ。

ネザマーソさんの家も、寝室の窓ガラスが壊れたままで、外からどんどん蚊が入ってくるという。ベッドには蚊帳がかかっているが、破れていくつもの穴が開いていた。しかし、窓の修理のための材料や新しい蚊帳を取り寄せようにも、輸送代が高く手が届かない。取材で訪ねた日も、母親の背中におぶわれていた1歳半の娘がマラリアによる高熱でぐったりしていた。常に、家族の誰かがマラリアにかかっているような状況だという。ネザマーソさんは、「マラリアを発症すると頭がぼんやりして、体に力が入らなくなり、農作業にも出られなくなる。そうするとお金が稼げなくなり、家族も貧しくなる」と話していた。

こうした深刻な課題を克服するために、ドローンを活用することを考え出したのが地元ルワンダのドローン開発のベンチャー企業だ。キガリに戻りオフィスを訪ねると、創設者で経営者のエリク・ルタイセレさん（28歳）が出迎えてくれた。人なつっこい笑顔の好青年だ。

殺虫剤の入ったタンクを搭載したドローンを見せてくれ、ドローンを使うことにはいくつもの利点があるという。まず、山奥など人が歩いて近づくことが容易でない場所にも飛んでいける。また、飛行機よりも小回りがきくので、水たまりなど蚊の幼虫が繁殖しそうな場所にだけピンポイントで殺虫剤を散布できる。このことで、飛行機で広範囲に殺虫剤をまくことによる村の人たちの健康への影響も防げる。さらに、散布するコストも飛行機

マラリア対策のために上空から殺虫剤を撒くドローンを説明するエリク・ルタイセレさん。ベンチャー企業の社長で、「これからはアフリカの時代だ」と断言する。（ＮＨＫ／2020年２月）

と比べて格段に安く抑えられるという。ルワンダ政府から事業を受注して、すでに試験段階は終え、まもなく一部の地域で実用段階に入るということだった。

　インタビューで、ルタイセレさんは、アフリカの可能性について熱く語った。実は、地元の高校を出たあとはアメリカに渡り、大学でエンジニアリングを学んでいた。当初は、多くのアフリカの若者と同じように、そのままアメリカに残ることを考えていたという。しかし、６年前に帰国し、このベンチャー企業を立ち上げた。

　その理由について、「アフリカに可能性を感じたからだ。アメリカにいる場合ではないことに気づいた。なんでもっと早く帰国しなかったのかと後悔しているくらいだ。ビジネスをしたければ、その主戦場はアフリカだ。ビッグなことが起きるのはアフリカだ」と話した。その上で、「アフリカに対するネガティブな見方は、どこかに消えていくべきだ。アフリカは輝く時で、これからはアフリカの時代だ」と力説した。

ドローンの活用を話し合う国際会議場の展示コーナーに、ルタイセレさんの会社もブースを出し、アジアやヨーロッパの起業家たちと肩を並べた。そこでは誇らしげに、「メイド・イン・ルワンダ」と記された大型のドローンを展示した。マラリア対策の事業の次に取り組むこととして、ルタイセレさんはすでに別の目標を立てている。国産ドローンを大量生産し、ルワンダから世界に輸出するというもので、展示したのは、その試作機だ。「ルワンダの大学でせっかくエンジニアリングを学んでも、それを活《い》かせる場は限られている。ルワンダで教育を受けたルワンダの若者が活躍できる機会も生み出したい」と話した。

女性議員の比率が世界ナンバーワン

ルワンダの社会でも、「カエル跳び」のような勢いで変化が起きている。

ルワンダの下院では女性議員の比率は60%を超えている。女性議員の比率の多さでは世界ナンバーワンだ。(写真提供:ルワンダ地元テレビ局)

女性の社会進出の度合いを測る尺度のひとつとして各国の女性議員の比率がある。世界各国の議会で作るIPU(列国議会同盟)の2019年の調査によると、対象となったおよそ190か国のうち、日本の衆議院での女性議員の比率は10・2%で164位と低迷している。その反対に1位の国はどこかというとルワンダだ。下院の女性議員比率が61・3%と圧倒的な高さを誇っている。このほか、ナミビアや南アフリカも40%を超えて10位以内に入っている。

ルワンダの圧倒的に高い女性議員の比率の背景には、1994年の民族虐殺がある。その悲劇から復興しようとする中で、虐殺を防げなかったのは、社会の多様性を認める意識が決定的に欠けて

議会における女性議員の比率ランキング

ランク	国名	下院 議席数	下院 女性議員数	下院 割合	上院 議席数	上院 女性議員数	上院 割合
1 ▶	ルワンダ	80	49	**61.3%**	26	10	38.5%
2 ▶	キューバ	605	322	**53.2%**	---	---	---
3 ▶	ボリビア	130	69	**53.1%**	36	17	47.2%
4 ▶	メキシコ	500	241	**48.2%**	128	63	49.2%
5 ▶	スウェーデン	349	165	**47.3%**	---	---	---
6 ▶	グレナダ	15	7	**46.7%**	13	4	30.8%
7 ▶	ナミビア	104	48	**46.2%**	42	10	23.8%
8 ▶	コスタリカ	57	26	**45.6%**	---	---	---
9 ▶	ニカラグア	92	41	**44.6%**	---	---	---
10 ▶	南アフリカ	393	168	**42.7%**	54	19	35.2%
⋮	⋮	⋮	⋮	⋮	⋮	⋮	⋮
164 ▶	日本	463	47	**10.2%**	241	50	20.7%

上位にはアフリカのほか中南米や北欧の国が目立つ。日本は衆議院と参議院。（IPU〈列国議会同盟〉：2019年２月１日現在）

ルワンダの女性議員のひとり、ジャスティン・ムコブワさん。地方への視察の途中で住民との対話集会に臨んだ。（ＮＨＫ／2019年１月）

いたからだという深い反省が国民に共有された。

その結果、憲法の条文では、「あらゆる意思決定機関では、女性は少なくとも30%を占めなければならない」として、議会をはじめ、政府や経済などあらゆる組織で、一定の割合で女性を登用するクオータ制が義務づけられるようになった。

２０１９年1月、議会を訪ねて女性議員のひとり、ジャスティン・ムコブワさんに会った。31歳だが、落ち着いた人柄という印象を受けた。学校の教師から政治家に転身して、すでに2期目を務めている。「ここが私の議席だ」と、自分の座る場所を教えてくれた。「ここに座ると、国のために自分に何ができるかと考え、気が引き締まる」と話していた。

議員になった経緯については、「ある日、議員になりたいと思い立ち、挑戦すると自分ひとりで決めた。社会は、多くの人で成り立っている。女性の立場が政治に反映されなければならないと考えた。そのことを両親や友人に話したら、誰からも応援された」と話した。

女性の議員が増えたことで、ルワンダでは、それまで制限されていた女性が土地を所有することや、遺産の分割で女性が不利だったことなどが次々に法律によって改善されている。それにあわせて人々の意識にも大きな変化が起きている。

ただ、ムコブワさんも最初は苦労したそうだ。地方への視察に同行したが、大勢の住民の前でスピーチをすることもあった。感想を聞くと、「教師はしていたけれども、こんなに大勢の人の前に立ち、話をすることはなく、最初はなかなかうまくいかなかった。でも、今は大丈夫だ」と話していた。

取材の時、公務員の夫との間に10か月前に男の子が生まれたばかりで私生活でも忙しくしていた。インタビューの最後で、ルワンダの女性には子育ての壁がないのか聞いた。苦労話を聞くことになると思ったら、意外にも、「それは全くない」という答えだった。「ルワンダでは、女性の社会進出を進めることを定めた法律や制度ができている。ここまで来たら、それを活かせるかどうかは、女性ひとりひとりが前に進みたいと決意するかどうかにかかっているだけだ」と言い切った。

内閣の半分を女性が占める国

アフリカには、女性が積極的に政治進出をしている国はほかにもある。東部のエチオピアだ。人口はアフリカで2番目に多い1億人あまりで、ルワンダと同じく驚異的な経済成長をしていて、世界銀行のデータでは2019年は8・3%とアフリカではルワンダについで高い。ここも若者の活躍が目立つ。その最たるものが、2018年4月、当時41歳の若さの首相が誕生したことだ。アビー・アハメド首相は、就任直後から矢継ぎ早に改革に乗り出し、国内では長年続いていた非常事態宣言を解除、投獄されていた数千人の政治犯を釈放した。また、長年対立してきた隣国エリトリアとの和平を実現した。アビー首相は、この和平努力が評価されて、2019年のノーベル平和賞を受賞している。

こうしたさまざまな改革の柱のひとつが女性の登用だ。家父長制的な伝統が根強いエチ

エチオピアでは20人の閣僚のうち、半数を女性が占めた。科学と高等教育を担当する閣僚に抜擢されたヒルート・ウォルデマリアムさん。（ＮＨＫ／2019年２月）

オピアでは、それまで考えられなかったということだが、就任の半年後、20人の閣僚からなる内閣の半数を女性で固めたのだ。２０１９年２月、そのうちのひとり、科学と高等教育を担当するヒルート・ウォルデマリアムさんを訪ねた。

ヒルートさんはもともと言語学の研究者だったが、声がかかり政治の世界に転身することを決めた。省内の幹部会議の様子を取材したが、10人ほどの出席者のうち、トップのヒルートさん以外は全員がスーツ姿の男性だった。閣僚に就任してから真っ先に実行したのが、国内の大学に対して、理事会を男女半数にするよう指示したことだ。

インタビューで、「女性が政治に参加し、意思決定に女性の意見が反映されることはとても重要だ。エチオピアは今、大きく変わろうとしている。今では、女性が重要な役割を担う閣僚になっている」と話した。

これまでも内閣には1人か2人の女性閣僚はいたという。しかし、それがきっちり半分になり、国防や経済政策を担う閣僚にも女性が登用されたことの意義は大きいとして、「なんとなくお飾りのように女性も1人くらい入れておくか、という発想ではいけない」と力説した。日本へのメッセージを聞くと、「女性はいろいろなことに同時に対応する能力が高い。日本の女性たちに、尻込みする必要はないと伝えたい」と語った。

課題があるからチャンスがある

文字通り「カエル跳び」のような勢いで前進しているアフリカの若者たちの意識と行動の背後には、もちろん、植民地支配の歴史がもたらした社会基盤の脆弱さや気候変動の実害もある。インフラ整備の遅れや根強い家父長的な伝統などもある。内政にしても、ルワンダのカガメ大統領をめぐっては、長期政権の弊害として、反対派を押さえ込むなど強権化しているとの批判もある。エチオピアのアビー首相にしても、政治の自由化とともに民族間の対立が噴き出していて、民主化は一筋縄では進んでいない。

しかし、変化を起こしている若者たちは、自分たちをとりまく条件の悪さに責任を転嫁していないのが印象に残った。それどころか、きわめて主体的だ。「課題があるからこそチャンスがある。課題が多ければ多いほど、それだけ解決策を生み出す可能性も、その解決策への需要も大きくなる」と言い、むしろ課題を楽しんでいるかのような強さがある。

私のアフリカの友人のひとりは、困っている様子がある時に、「何か問題があるのかい」と聞くと、いつも「問題は存在しない。解決策しか存在しない」と豪快に笑って答える。

第13章　監獄からの手紙

広がる分断と不寛容

欧米の自由と民主主義には、歴史を見れば、深刻なダブル・スタンダードがあったことは明らかだ。欧米の中では、個人の権利や言論の自由などの尊さが叫ばれていた一方で、アフリカなどでは奴隷制度や植民地支配が平然と続いていた。それでも、人権の尊重や自由の保障が一部の豊かな先進国の贅沢《ぜいたく》な特権としてそこにとどまらず、世界中で尊重される普遍的な原則になるべく、人類は闘ってきた。

しかし、世界では今、民主主義の模範を自称してきたような欧米の先進国で、民主主義の劣化や後退が指摘されている。アメリカでは自分に批判的なメディアを敵視するトランプ政権下で、白人至上主義を掲げる団体も公然と活動するようになっている。2020年5月、中西部ミネソタ州で、黒人男性のジョージ・フロイドさんが、白人の警察官に首を圧迫され死亡するという事件が起き、幅広い人を巻き込んで抗議運動が広がったが、長い抑圧の歴史に基づいた黒人への人種差別は今も深刻な形で続いていることを露にした。ヨーロッパでも移民への不寛容が広がっていて、イギリスはEU（ヨーロッパ連合）から離脱し、フランスでは移民排斥を声高に叫ぶ極右政党への支持が増えている。

背景には経済のグローバル化によって、欧米諸国の国内で一部の人たちがますます豊かになっている中で、多くの人たちはその恩恵を受けていないことがあると指摘されている。こうした経済格差への不満から、欧米が誇ってきた民主的な社会と、それを支えてきた価値観への信頼が揺さぶられ、民主的な制度を非効率だなどと批判するポピュリスト政治家の過激な発言が一部で喝采を浴びている。

社会の分断と非寛容が広がる現状に、我々はどう向き合ったらいいのだろうか。かつて、そうした分断と不寛容に押しつぶされそうになりながらも、新しい社会に向けて闘い続けたアフリカのひとりの闘士の行動と言葉に今、改めて注目が集まっている。

獄中27年

アパルトヘイトとの闘いに生涯をかけたネルソン・マンデラは、1918年7月18日、イギリスの植民地主義に基づく支配を受けていた南アフリカの南東部クヌの近郊にある村で生まれた。父親は地元の部族の有力な責任者で、生まれた時は地元の言葉で「問題児」

を意味する名前をつけられた。文字通り、マンデラは、その後、白人政権が導入したアパルトヘイトに基づく体制で正しく「問題児」となってみせ、人種差別の制度をひっくり返すことになる。

ネルソンという名前は、小学校にあがった時に教師からつけられたものだ。当時は、アフリカの地元の子どもたちに、支配者のイギリス人のような名前をつけるのが一般的で、イギリスの植民地主義者がアフリカの名前を発音することが難しかったことや、そもそも発音しようともしなかったことが背景にあるといわれている。

地元の有力者の後押しで教育を受け続けることができたマンデラは、1944年にANCに参加し、人種差別撤廃の闘争に本格的に取り組むようになり、1952年には黒人初の弁護士事務所を発足させ、弁護士として黒人の権利擁護に取り組んだ。1960年にヨハネスブルク近郊のタウンシップのひとつ、シャープビルで黒人による平和的な抗議デモに対して白人警官が無差別に発砲する事件が起き、ANCが非合法化されると、マンデラは武装闘争にも乗り出し、密かに国外に出てエチオピアなどで軍事訓練を受けた。

しかし、白人政権の弾圧をこれ以上逃れることはできなかった。1962年に帰国した

マンデラが収監されていた独房。足を十分に伸ばすこともできないほどの狭さだ。南アフリカ・ロベン島にて。（写真提供：著者／2018年9月）

あとに見つかって拘束され、そこから長い獄中での日々が始まる。1964年には「国家反逆罪」で訴追された裁判で終身刑を言い渡され、1990年2月に解放されるまで27年間を獄中で過ごすことになった。白人政権からは「テロリスト」と決めつけられた。

アフリカ大陸のほぼ最南端にあるケープタウン。オランダ人による植民地支配が始まった港町だ。そこからフェリーで1時間ほどかけて沖合にあるロベン島に向かうと、かつてマンデラなどアパルトヘイト撤廃を求めた活動家たちが収監されていた監獄がある。この中でも、マンデラは長年、独房に入れられた。その独房を前にすると、厳粛な気持ちになる。足を十分に伸ばすこともできないほどの狭い独房にはベッドはなく、硬い床で寝ることしかできなかった。格子がついた小さな窓からは殺風景な中庭しか見えない。

冬のケープタウンは気温も下がり零下になる日もある。そのさらに沖合の小島の監獄の独房には、大西洋の冷たい風が容赦なく吹き込んだことは容易に想像できる。これが、すべての人種の平等を求めた者への仕打ちなのかと思うと、人種差別とそれを正当化してきたアパルトヘイトの非道さ、さらにそのような制度が長年続くことを許してしまった国際社会の不十分だった関与にも改めて憤りを感じる。

『ネルソン・マンデラの監獄からの手紙』

マンデラの生誕からちょうど100年となった2018年7月、1冊の本が出版された。マンデラが獄中で綴《つづ》り、家族や友人に宛てていた250通あまりの手紙をまとめたもので、マンデラの思想が凝縮している。『ネルソン・マンデラの監獄からの手紙』と題された本は、南アフリカをはじめ世界20か国以上で出版された。

本の出版に奔走したのが、南アフリカの研究者サム・ベンターさんだ。研究者になる前

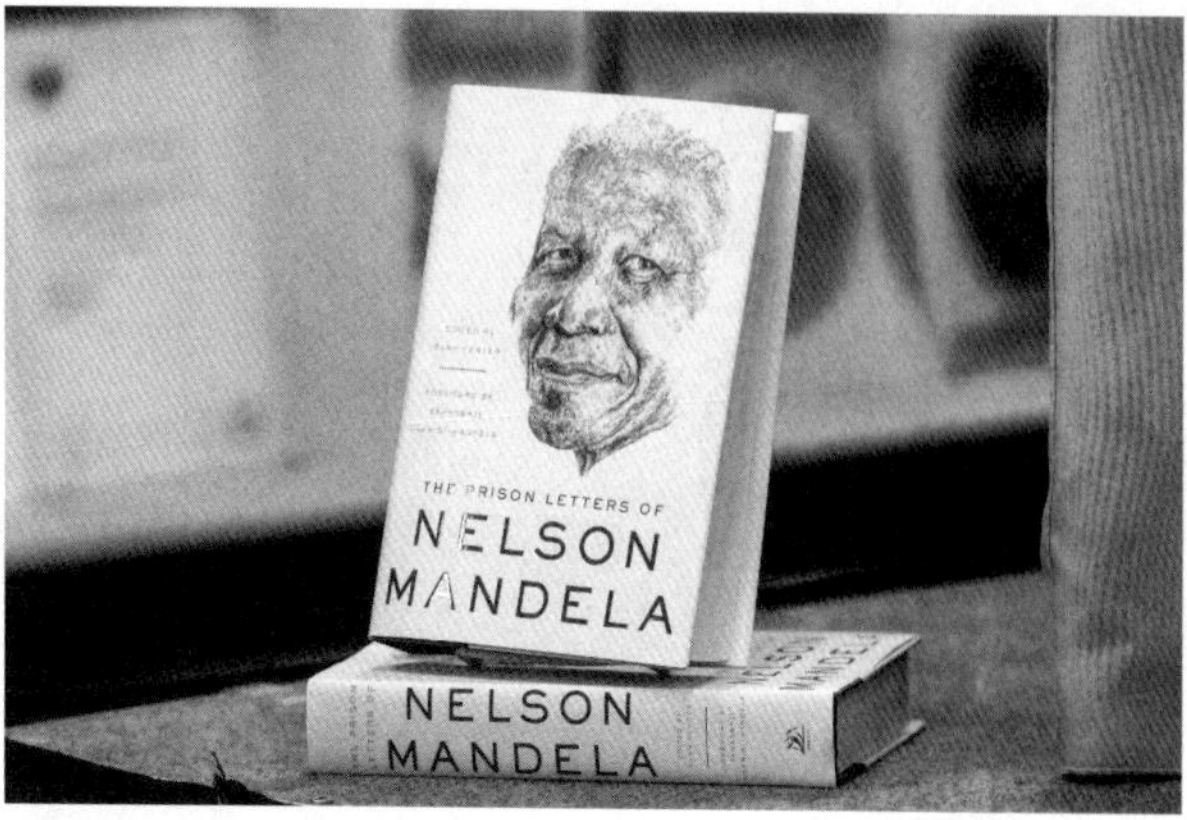

世界20か国以上で出版された『ネルソン・マンデラの監獄からの手紙』。（写真提供：ユニフォトプレス）

は通信社の記者としてアパルトヘイトの崩壊と民主化への移行を精力的に取材した、活動的で理知的な女性だ。各地に点在していた手紙を集めて読み込んだベンターさんは、インタビューで出版の動機について、「今の世界をとりまく深刻な状況があるからこそ出版を考えた。今の世界には、人権を無視し、正義を疎《おろそ》かにする風潮がある。人種差別も、性差別も深刻だ。それだからこそ、マンデラの言葉から学ぶ必要があると考えた」と話した。

監獄での差別

手紙からは、マンデラが監獄でも受けた差別の実態が見えてくる。

〈1976年7月12日、監獄の監督責任者に対して〉

「この国では、白人の受刑者のみが寝巻きを着て寝る権利がある。黒人の受刑者は裸で毛布をかぶって眠らなければならない。

私は13年間、裸のままでセメントの床で寝ているが、雨の季節になるとじめじめして冷たい床だ」


しかし、こうした手紙にしても自由に書けたわけではなかった。手紙は検閲され、相手に届かないことも相次いだ。家族からの手紙や写真にしても渡してもらえないこともあった。さらに、外部に訴える唯一の手段であるにもかかわらず、ペンがある日突然、なくなることもあった。


〈1971年4月4日、監獄の責任者に対して〉

「昨日、手紙を保管していた私のノートが、知らぬ間に部屋から持ち去られた。さらに、ペンも見当たらなくなっている。ペンがなくなっていることに私は非常に衝撃を受けている。独房に入れられて7年になるが、このようなことは初めてだ」

強い意志

白人政権は、マンデラに対してはこうした嫌がらせもしながら、釈放と引き替えに闘争を諦めるようたびたび持ちかけて圧力をかけた。しかし、マンデラはこうした要求をはねつけ続けた。手紙からはマンデラの強い意志があふれている。

〈1969年6月23日、妻のウィニー・マンデラに対して〉

「新しい世界は、遠くから離れて腕組みをしているような傍観者ではなく、競技場に入り、嵐によって服がちぎれ、闘いで体を痛めることをいとわないような者たちが勝ち取るものだ。見通しが暗く悪い時でも真実を見捨てずに、繰り返し挑戦し、侮蔑や敗退にも決してくじけない者こそが称《たた》えられる」

〈1976年7月12日、監獄の監督責任者に対して〉

「どのような肌の色をしているか、どのような権限を持っているかではなく、その人の人間性のみに基づいて、私は誰を尊敬するかを決める。

弾圧を加えることによって私たちの考えを変えることができると思っても、無駄だ。あなたの政府は、黒人に対する憎悪、侮蔑、そして弾圧を行っていることで悪名高い評判を得ている。

私は、白人至上主義を嫌悪し、あらゆる手段で闘う」

吐露された悲しみ

それでも、手紙では弱さや悲しみを吐露することもあった。

家族と引き裂かれた時、末の娘はまだ2歳だった。

〈1969年2月4日、娘たちに対して〉

「お前は、『父親の自分が家にいないので、寂しいし、いつ戻ってくるのかを知りたい』

と言っていたね。愛《いと》しい娘たち、いつ戻れるかは分からないんだ。前に送った手紙でも伝えたね。白人の裁判官に、『一生、監獄で過ごさねばならない』と言われたことを」

母親の死を知ったのも獄中でのことだった。

〈1968年10月14日、おいに対して〉
「母の姿を最後に見たのは去年の9月9日だった。私との面会の後、この島からケープタウンに戻るための船に乗るために歩いて行くのを見た。なぜだか、私はその時、『自分は再び母と会うことはないかもしれない』と感じた。
母が面会に来てくれるといつも元気付けられた。母の死に打ちのめされている。孤独と虚無感に襲われている」

対話と融和

しかし、マンデラは、自分をそのような境遇に落とし込んだ白人たちへの恨みや憎しみに押しつぶされることなく、いつかは新たな社会が来ると確信しながら、それに向けて、民主主義や平等、そして何よりも人種の融和について思索を深めていった。

〈1970年8月1日、友人に対して〉
「この狭い塀の中に押し込められているのは自分の肉と骨だけだ。その一方で、私は地球人であり、思考は鷹《たか》のように自由だ。私の全ての夢の根本は、人類全体の知恵にある。人が幸せになるための唯一の基盤は社会的な平等だという確信は、かつてないほど強まっている」

そして、この確信に基づき、言論と対話の力を信じた。

〈1980年2月10日、娘に対して〉
「ペンは、人生の最も幸せな瞬間を思い出させてくれる。自室や血にそして魂に尊い考えをもたらしてくれる。悲劇すらも、希望や勝利に変えてくれる」

〈1970年7月1日、妻に対して〉

「私たちの大義は正しい。人類の尊厳と名誉ある人生のために闘っている。この中で、人と関わるとき、その人が友人であれ敵であれ、礼儀正しく明るくいようではないか。

明瞭で率直であらねばならない。しかし、無思慮で力ずくであってはならない。人種差別とその悪を攻撃する時であっても、異なる人種の間の敵対心をかきたててはならない」

広がる格差の中で

1990年になってようやくマンデラは釈放された。44歳から71歳まで、人生の多くの時間が奪われていた。

それでも、アパルトヘイト撤廃後の1994年に行われた、すべての人種が参加した初めての民主的な選挙を経て新生南アフリカの初代大統領に就任した際、憎しみや報復ではなく和解に基づいて新しい南アフリカを率いていくことを鮮明に打ち出し、「虹の国」を打ち立てると宣言した。アパルトヘイト時代の人権侵害については、「真実と和解委員会」

が設立され、処罰ではなく真相を明らかにすることで加害行為を記録し、被害者の苦しみに向き合う姿勢を貫いた。その後、マンデラは一期限りで身を引いて、２０１３年に95年の生涯を閉じた。

しかし、マンデラの掲げた「虹の国」の理想はさまざまな課題に直面している。

新生南アフリカでも貧富の格差は広がり続け、人種間の融和にもひびを入れている。こうしたひびは黒人と白人の間にとどまらない。アフリカの他の国から南アフリカに移り住んだ移民に対するゼノフォビア（外国人排斥）も深刻な社会課題になっていて、タウンシップで、移民が住む家や経営する商店に南アフリカ人の群衆が押し寄せて、略奪や放火を行うという事件が繰り返し起きている。国際的な人権団体「ヒューマン・ライツ・ウォッチ」は、２０２０年９月に発表した報告書で、南アフリカ当局はゼノフォビア問題の深刻さを直視しておらず、対応が不十分だと批判した。

マンデラは、監獄からも、アパルトヘイト体制が終わり、民主化を成し遂げたあとの自国を揺さぶることになる経済格差やそれがもたらす問題の危険性をまるで予見していたかのように、解決を訴えていた。

〈1970年8月31日、息子に対して〉

「できるときに困っている友人を助けるのはよいことだ。しかし、個人の善良な好意は解決策ではない。この地球上から貧困を一掃するためには、親切心以外の武器を使わなければならない。貧困にあえぎ、字が読み書きできない人は数百万人もいる。失業者も、賃金がきちんと支払われていない人も、汚れた密集した住まいで暮らす人の数も膨大だ。

個人の善良な好意で対応できる問題ではない。自分の資産で、貧しい人をすべて助けようとしても、すぐに底をつくだけだ。大義で団結し、同じような思いを抱える人々がきっちりと力を合わせることでしか効果的に対応できないということはこれまでの経験が示していることだ」

人種差別の撤廃を求め、新たな社会のあり方を模索したネルソン・マンデラ。経済格差、分断、そして不寛容が広がる今の世界こそ、対話と融和を訴えたアフリカからのメッセージに耳を傾け、学ぶべきだ。

おわりに　太陽を追って

広大な大陸

太陽が沈む時、これほど厳粛な気持ちになることはあるだろうか。

アフリカでの移動は長時間になる。たとえば、駐在する南アフリカから西アフリカのブルキナファソに出張するための移動では、途中でエチオピアの首都アディスアベバの空港で乗り換えながら20時間近くかかる。アフリカは実に広大な大陸だ。

飛行機でほぼ丸一日を片道の移動に費やしていると、機内からはアフリカのさまざまな太陽の姿を見ることになる。早朝、大地を真っ赤に染めながら昇る太陽もあれば、日中、大地を激しく照りつける太陽もある。そして、夕方、空を真っ赤に染めながら沈んでいく太陽を見ることがある。

陸路での移動にしても、時には1日に10時間も車に揺られることになる。夜明け前にホテルを出て、しばらくすると昇ってくる太陽や、夕方、取材を終えて、なんとか日が沈む前にホテルに戻ろうと急ぐうちに沈んでいく太陽を見る。

いくつもある太陽の姿の中でも、とりわけ夕方の真っ赤な太陽は、息をのむほど美しい。いつまでも見ていたい、このまま時間が止まってほしいと願うほどだ。

取材で、地元の魅力的な若者の話を聞いたあとに見ると、アフリカにあふれる熱い希望を象徴するように感じるが、反対に、深刻な課題の取材のあとでは、アフリカに深まる絶望を感じてしまう。アフリカの大地に沈む太陽を見ながら、人類の行く末はどうなるのだろうと、思いをはせる。

アフリカでの取材

そうしたアフリカでの取材はチャレンジングだ。

飛行機や車での長時間の移動に加えて、赤道をまたいだ移動では季節にしても1日で夏と冬が入れ替わることもある。真冬で零下の南アフリカのヨハネスブルクを出発し、西アフリカのダカールに移動すると、そこは30度を超える真夏だったりする。ダカールの空港に到着したとたんに汗が噴き出し、着ていたセーターを慌てて脱ぐことになる。

感染症もある。黄熱病をはじめ、肝炎や狂犬病対策でいくつもの予防接種を受けて、それぞれの有効期限を一覧表にしておき、毎年のように期限が切れたものの接種を受けることになる。出張先ではホテルに入ると、マラリアを媒介する蚊が入ってこないか、真っ先に部屋の窓が壊れておらず、きちんと閉まるかを確認した上ですぐに蚊取り線香を焚《た》く。もちろん、そのホテルにしても治安面で大丈夫か、事前に地区を慎重に選ばなければならない。

予定だって変わるのが日常茶飯事だ。陸路で移動中に車が故障して修理を待つ間に半日が過ぎることもある。事前に約束していた相手がいくら待っても現れないこともある。締め切りが迫っている時に限って、夜、停電で部屋が真っ暗になり、インターネットもつながらず、途方に暮れることもある。

アフリカ取材での最大の壁のひとつがビザの取得だろう。アフリカの多くの国では、ジャーナリストの入国に特別な許可証やビザの取得が必要になる。簡単に取得できる国もあるが、ほとんどの場合、ビザの取得のために、南アフリカの首都プレトリアにあるそれぞれの国の大使館に何度も足を運び、多くの書類を提出することになる。「審査の間、パスポートの原本を1週間預かる」と言われることもある。しかし、大事なパスポートがそんなに長い間、手元にないままというわけにはいかない。「書類をもとに審査を進めてもらい、許可が下りたらパスポートの原本を再度持ってくるので、預かるのは1日ほどにしてもらえないか」と頼むことも多い。うまくいく時もあるが、時には、「その特別な計らいのためには、それ相応の手数料がかかる」とあからさまに賄賂を要求されることもある。

それでなくても、外国人ジャーナリストにビザを発給するのに及び腰になる国は少なくない。英語圏での武装グループとの戦闘が続くカメルーンについては、大使館に何回出向いても担当者は「ビザを出せない」の一点張りで、最後は、情報相に電話して、情報相のサインが入った招待状を送ってもらい、それを頑なな担当者の目の前に突きつける必要まであった。

世界の未来を探し求めて

それでも、アフリカの取材をやめたいと思ったことは一度もない。

もちろん、特派員として任地に派遣された以上は、寝食を忘れて取材をして、日本の視聴者にニュースを届けるのが業務なのだから当たり前だ。また、いよいよ行き詰まったと諦めかけた時に助け船を出してくれる人もいれば、取材が実現できるように一緒に奮闘してくれる人もいる。そうしたアフリカの人の温かさと熱意にはいつも励まされる。

それに加えて、アフリカの取材では、記者冥利ともいえる、好奇心を満たすなんともいえないわくわく感があるのも事実だ。それもそのはずだ。人口が急速に増え、わずか30年後の2050年には、人類の4人に1人がアフリカの人になる時代が訪れると予測されている。アフリカが希望の大陸になるか、それとも絶望の大陸になるのかは、人類全体にとって重要な問題だ。そのアフリカの取材は、あたかも、人類の未来の姿を先取りして見ることができるようなものだ。記者の仕事には、結局のところ、新しいもの、面白いものを真っ先に見てみたいという欲望がついて回るのだろう。いや、記者だけではないはずだ。地球の未来の姿を映す水晶玉が目の前にあれば、誰もが、それを覗《のぞ》いてみたいと思うのではないだろうか。

日本はどう向き合うのか

人類の未来の命運を握るともいえるそのアフリカに、日本はどう関与していくのだろうか。「地球最後の巨大市場」であるアフリカに、各国は熾烈な進出競争をしている。植民地支配の歴史から多くの国は旧宗主国とのつながりが深く、イギリスやフランスは英語やフランス語が公用語ということもあって、かつての植民地だった国に今も大きな影響力を持っている。

また、アメリカは、アフリカから連れてこられた奴隷の子孫が、さまざまな苦難を乗り越えながら「アフリカ系アメリカ人」として社会の一角を占めている。オバマ元大統領の妻のミシェル夫人にしても、4世代前、つまり祖父の祖父は南部サウスカロライナ州のジョージタウンで奴隷として働かされていたが、リンカーン大統領の奴隷解放宣言で自由になった。家族は、それぞれの世代で教育を大切にし、次の世代にバトンを託しながら、貧困を脱却してきた。

そうした歴史もあって、アメリカでのアフリカへの関心はおのずと高い。それに加えて、アメリカは、戦略的にもアフリカに関与してきた。米ソの東西冷戦の時代、アメリカと当時のソビエトはアフリカでも勢力争いを繰り広げ、アンゴラのように「代理戦争」の舞台となった国もある。

中国は自らが提唱する巨大経済圏構想「一帯一路」への取り込みを狙って、今やアフリカは「運命共同体」だとまで位置づけている。

これに対して、日本は、政府主導でアフリカへの支援や開発について話し合うTICADの首脳級の会合を3年おきに開催していて、日本でのアフリカへの関心を高め、日本企業による民間投資を促進しようとしている。2019年8月に横浜で開かれた7回目の首脳会合にはアフリカ50か国あまりの首脳らが参加した。採択された「横浜宣言2019」では、「アフリカ大陸が達成してきた経済成長の水準を称賛する」として、ダイナミックに変化するアフリカとの関係強化を進める姿勢を示した上で、日本として、質の高いインフラ、民間セクターによる投資、人材育成などでの協力を表明した。

民間企業の中にも、アフリカの成長を自らの成長に取り込もうと、アフリカ市場に熱い視線を向ける企業がある。各企業の駐在員は現地で汗をかきながら奮闘している。「カエル跳び」のような勢いで最先端の技術を取り入れているアフリカで起業しようと、アフリカに渡る日本の元気な若者も出てきている。アフリカの課題への解決に協力しようと、国連やＮＧＯ、それに援助機関でも多くの日本人が活躍している。

アフリカの変化は、日本人にとっても、アンテナを高く掲げて世界の動きをビビッドにつかむことの重要性を示している。ステレオタイプなアフリカ観に安住していては、30年後の２０５０年、世界人口の４人に１人がアフリカの人になっている世界で日本人が生き抜くのが難しくなることだけは間違いなさそうだ。

日本への期待も

しかし、アフリカを歩くと、日本への期待の声を聞く一方で、関心も具体的な関与もまだまだ消極的だとして嘆く声がしばしば聞こえてくるのも事実だ。

アンゴラでは、中国からの融資によって巨大な新都市が建設されるなど、インフラ整備が進められてきた。しかし、それとともに、中国への借金が増えている上、融資の多くがアンゴラの唯一ともいえる輸出品である原油で担保され、中国側に有利な条件だという批判が出ている。

これを受けて、中国への向き合い方に変化も起きている。中国からの融資契約に次々にサインしてきたドスサントス前大統領は、長期政権へのほころびが出て、2017年に退陣に追い込まれた。その後に新たに就任したロウレンソ大統領は改革を掲げている。2019年7月、アンゴラの首都ルアンダで、中国企業が担っている主要駅の工事現場を訪ねると、工事が完全に止まっていた。ロウレンソ大統領が、この駅や新空港の建設について、中国企業が行っている建設の事業費が不透明でふくらみすぎているとして見直しを命じたということだった。

こうした中で、アンゴラ政府は日本からの投資を歓迎している。政府の投資促進機関のリシニオ・バスコントレイラス会長は、インタビューで、「アンゴラは投資を受け入れる相手を多角化したい。そこで、ぜひとも来てほしいのは日本だ」と話した。日本も、アンゴラとの関係強化を目指している。2019年5月には河野《こうの》太郎外務大臣（当時）がルアンダを訪問し、投資環境の整備に向けて協力していくことで一致した。また、南部の港では、日本の国際協力銀行などが融資して、日本企業が拡張工事に乗り出そうとしていた。

しかし、こうした動きはまだ始まったばかりだ。河野大臣のアンゴラ訪問にしても、日本の外務大臣としては17年ぶりのことだった。中国と肩を並べて競っているような状況とはほど遠いのが現状で、アフリカの現地では、圧倒的な存在感の中国と比べて、「日本人は見たことがないが、どこにいるのだ?」という声をしばしば聞く。

アンゴラと同じようにザンビアでも中国の存在感は突出している。首都ルサカでは中国語の漢字の看板がいたるところで見られ、進出している中国企業は500社を超え、中国人の数は10万人に上るともいわれている。空港や競技場が中国からの融資で続々と建設されているが、それとともに、アンゴラと同じように、中国への借金が増え続けている。

ザンビアは世界有数の銅の産地で、中国企業は銅鉱山に20年ほど前から進出している。しかし、長時間労働や安全管理のずさんさから事故が相次いでいると指摘されていて、2018年、人々の不満が高まり、中国企業への抗議が暴動に拡大することもあった。ルサカで人々に話を聞くと、「中国からの投資を歓迎する」という声もある一方で、「中国の進出の悪い影響が出ている。ザンビア人ができる仕事も中国人が奪っている」という批判的な声もあった。

こうした中で、野党の指導者ネバース・ムンバさんは、インタビューで、「中国の融資で問題なのは、それが略奪的だからだ。返済期限が来た時に、中国は何を担保に取るのかを恐れている」と話した。しかし、そのムンバさんにしても、「経済発展のためにはインフラの整備は必要だ」と断言する。その上で、「しかし、日本や日本企業は来てくれるのかい」と問いかけてきた。

アフリカからの期待にどう応えていくのか、日本の姿勢も見られている。

日本だって無関係ではない

そもそも、地理的には遠くとも、日本はアフリカとは決して無関係ではない。サハラ砂漠南側のサヘル地域でのイスラム過激派の台頭にしても、日本にも影響がある問題だ。２０１３年、北アフリカのアルジェリアのイナメナスで、天然ガス施設が攻撃され、日本人10人を含む40人が犠牲になったが、その攻撃を行った過激派武装グループの一部が、サヘル地域のＩＳに加わっているとされている。そうした過激派の資金源として、違法な金の採掘や密売が浮かび上がってきているが、国際市場に流れ込んだ金が回り回って日本に入ってくる恐れも指摘されている。

こうしたサヘル地域の情勢不安定化の背景には気候変動がある。砂漠化が進み、食糧生産が打撃を受けて飢餓に苦しむ人が増えているほか、経済格差による貧困の深刻化に伴って幼い少女の児童婚が横行するなどの課題も抱えている。過激派組織は、こうした社会の混乱や脆弱さにつけ込んでいる。生活が立ちゆかなくなった若者たちが、わずかな金を示されて、戦闘員に勧誘されている。

しかし、サヘル地域は、気候変動をもたらす温室効果ガスを大量に排出しているわけではない。むしろ多く排出しているのは日本のような先進国だ。確かに、世界の力関係は変わり、かつての「南北問題」のように、圧倒的に豊かな「北」の先進国が、圧倒的に貧しい「南」の途上国を踏みつけているという単純な二元論だけではなくなっているのは事実だ。先進国の日本にしても、かつてアフリカを植民地支配したイギリスやフランスにしても、それぞれの国内での格差が深刻化し、苦しい暮らしをしている人も多い。その一方で、地球規模で見れば、世界の資本主義システムの中で日本のような先進国は明らかに強者だ。あえて南アフリカの社会状況に当てはめてみれば、日本のような先進国は、貧困層が暮らすタウンシップではなく、裕福な人が暮らし豪華な邸宅が建ち並ぶ高級住宅地の側にいる。

そして、問われて

もちろん、こうした構図を前にしても、個人の力ではすぐにどうすることもできず、気まずい思いを抱きながら戸惑うか、あるいは、「自分はアフリカの課題に故意に荷担しているわけではない」として開き直るような反応もあるかもしれない。

しかし、少なくとも、「日本は、遠いアフリカの課題とは無関係だ」と訳知り顔で言い切るようなことはやめられるはずで、アフリカの課題に関心を持ち続けることはできるのではないだろうか。

２０１８年12月、ノルウェーの首都オスロの市庁舎で開かれたノーベル平和賞の授賞式で、紛争下の性暴力の問題と闘い続けるコンゴ民主共和国のデニ・ムクウェゲ医師もこのことを呼びかけた。

「これまでになかったほど優れた通信手段が発達している中で、もはや誰もが『自分は知らなかった』とは言えまい。この悲劇を見て見ぬふりをするのは荷担しているようなものだ。無関心に対して、ノーと言うことだ。もしどうしても戦争をしたいのならば、我々の社会を蝕んでいる無関心に挑む戦争が求められている」と述べ、「我々は何ができるのか。あなたは何ができるのか」と問いかけた。

真冬のオスロは氷点下だった。事前に記者団に配られた演説原稿を読み始めたら、私は引き込まれそのまま動けなくなった。読み終わってスマートフォンの画面から顔を上げた時、体がすっかり冷え切ったことにようやく気づいた。自分自身も明らかに問われていると重く受け止めた。

アフリカの取材では移動距離が長いとか、ビザの取得が簡単でないとか、そんなことで文句を言っている自分を恥じた。何よりも、さまざまな人の思いのバトンを受け取っている。コンゴの隣国のウガンダの難民キャンプで出会った性暴力の被害者の女性にしても、ニジェールで児童婚をさせられフィスチュラを患うようになった女性にしても、南アフリカで略奪の被害に遭った学校の校長先生も、「課題解決のためにも広く伝えてほしい」と訴えた。

もし日本人の記者である自分が現地に向かうことで、そうした思いが少しでも日本にも届くことになれば、少しでも人類の未来のために貢献できるのかもしれない。そうしたことを考えながら、アフリカを歩いている。

あとがき

「人生を変えた本」にまつわる話を聞くたびに、そのような本に巡り会えたら幸せなことに違いないと思いながら、内心では1冊の本で人生の進むべき道が決まるようなことが本当にあるのかと疑問に思ってきた。文学作品とは無縁な人間のつまらないひがみでもあるのだろう。しかし、そんな自分にも確かに決定打になったものはある。本ではないが、映画だ。

学年は思い出せないが、大学時代に京都の町のどこかで見た映画『遠い夜明け』。アパルトヘイト下の南アフリカで、白人の新聞記者が黒人の解放運動の闘士を取材するうちにふたりは友情を育むが、その闘士は白人政権の治安機関に拘束され、拷問によって志半ばで命を落とす。携帯電話もインターネットもない時代、記者はその事実を世界に伝えるために、治安機関による監視をかいかぐって命がけで国を脱出して記事を送るという、実話に基づく映画だ。映画に出てきた自由と平等を求める人々の熱い思いに圧倒された。

それからおよそ30年後、50歳を前にして、まさかその南アフリカのヨハネスブルクに特派員として駐在することになるとは、当時は夢にも思っていなかった。ただ、ふり返れば、その映画の影響もあって記者を志すようになり、南アフリカのその記者の、自分が伝えなければ埋もれてしまう事実を世界に伝えなければならないという使命感を追いかけてきたのかもしれない。


海外での駐在では、いつもながら仕事でも生活でも多くの人にお世話になりっぱなしだ。友人たちには温かく送り出してもらい、家族にも支えられている。取材は支局の現地スタッフの懸命な働きぶりによって成り立っているし、各地の地元ジャーナリスト仲間とチームを組むこともある。一緒に力をあわせてさまざまな壁を突破しながら記事をまとめ上げるのは何にも代えられない達成感がある。

駐在先では、毎日、大小いろいろなことが起きるが、そのたびに相談に乗ってもらい、情報を交換できる日本人駐在員の仲間たちにもいつも助けられている。東京の本部から特派員を支えてくれるさまざまな部署の上司や同僚、それに後輩たちもいて、そうした力添えなしでは何もできない。

何よりも取材先の人々の協力なしには何ひとつ前に進まない。突然現れた日本人の記者に時には驚きながらも、何時間も話を聞かせてくれる人たちもいる。

今回、新書をまとめるにあたっても、大学の恩師や友人にお世話になった。編集にあたってくださった集英社新書編集長の東田健氏には、アフリカの変化をいかにしたら日本の読者に分かりやすく伝えることができるか、どのようなアングルにするかに始まり数多くのアドバイスをいただいた。

多くに方々に感謝、感謝、そして感謝しかない。

２０２１年１月　南アフリカ　ヨハネスブルクにて

別府正一郎

別府正一郎（べっぷ しょういちろう）

一九七〇年、大阪府生まれ。京都大学卒業後NHK入局。イラク戦争、シリア内戦やIS取材、国際放送局キャスター、解説委員を経て、二〇一八年からヨハネスブルク支局長としてアフリカ全域を取材している。二〇〇七年、ボーン・上田記念国際記者賞（中東・アフリカの紛争取材）を受賞。著書に『ルポ 終わらない戦争 イラク戦争後の中東』（岩波書店）、共著に『ルポ 過激派組織IS ジハーディストを追う』（NHK出版）。

アフリカ 人類《じんるい》の未来《みらい》を握《にぎ》る大陸《たいりく》

集英社新書一〇五四A

二〇二一年二月二二日 第一刷発行

著者……別《べっ》府《ぷ》正《しょう》一《いち》郎《ろう》
発行者……樋口尚也
発行所……株式会社集英社
東京都千代田区一ツ橋二-五-一〇 郵便番号一〇一-八〇五〇
電話 〇三-三二三〇-六三九一（編集部）
〇三-三二三〇-六〇八〇（読者係）
〇三-三二三〇-六三九三（販売部）書店専用

装幀……原 研哉
印刷所……大日本印刷株式会社 凸版印刷株式会社
製本所……加藤製本株式会社

定価はカバーに表示してあります。

ISBN 978-4-08-721154-2 C0236

Printed in Japan

a pilot of wisdom

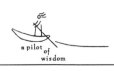

集英社新書　好評既刊

忘れじの外国人レスラー伝
斎藤文彦　1044-H

昭和から平成の前半にかけて活躍した伝説の外国人レスラー一〇人。彼らの黄金期から晩年を綴る。

悲しみとともにどう生きるか
柳田邦男／若松英輔／星野智幸／東畑開人／平野啓一郎／島薗 進／入江 杏　1045-C

「グリーフケア」に希望を見出した入江杏の呼びかけに応えた六人が、悲しみの向き合い方について語る。

ニッポン巡礼〈ヴィジュアル版〉
アレックス・カー　045-V

滞日五〇年を超える著者が、知る人ぞ知る「かくれ里」を厳選。日本の魅力が隠された場所を紹介する。

原子力の哲学
戸谷洋志　1047-C

七人の哲学者の思想から原子力の脅威にさらされた世界と、人間の存在の根源について問うていく。

花ちゃんのサラダ　昭和の思い出日記〈ノンフィクション〉
南條竹則　1048-N

懐かしいメニューの数々をきっかけに、在りし日の風景をノスタルジー豊かに描き出す南條商店版『銀の匙』。

万葉百歌　こころの旅
松本章男　1049-F

随筆の名手が万葉集より百歌を厳選。瑞々しい解釈と美しいエッセイを添え、読者の魂を解き放つ旅へ誘う。

拡張するキュレーション　価値を生み出す技術
暮沢剛巳　1050-F

情報を組み換え、新たな価値を生み出すキュレーション。その「知的生産技術」としての実践を読み解く。

福島が沈黙した日　原発事故と甲状腺被ばく
榊原崇仁　1051-B

福島原発事故による放射線被害がいかに隠蔽・歪曲されたか。文書の解析と取材により、真実に迫る。

女性差別はどう作られてきたか
中村敏子　1052-B

なぜ、女性を不当に差別する社会は生まれたのか。西洋と日本で異なる背景を「家父長制」から読み解く。

退屈とポスト・トゥルース　SNSに搾取されないための哲学
マーク・キングウェル／上岡伸雄・訳　1053-C

哲学者であり名エッセイストである著者が、ネットとSNSに対する鋭い洞察を小気味よい筆致で綴る。